LA FRANCE À VOIX HAUTE

Du même auteur

H.M.S. Fidelity
Presses de la Cité, 1957

L'Oiseau
Presses de la Cité, 1960

La Bataille d'Angleterre
Presses de la Cité, 1964

Délit de Vagabondage
Grasset, 1978

Le Maître de Hongrie
La Table Ronde, 1980

L'Homme de 40
Laffont, 1980

La Télévision libre
Gallimard, 1981

Madame de Gaulle
Stock, 1981

Histoire de France des commerçants
Laffont, 1983

Je suis François Villon
Denoël, 1987

Loin de Massilia
RMC, 1987

Le Grand Livre de la poésie française
France Loisirs, 1988

Charlemagne
Flammarion, 1993

Charlemagne, Prince d'Occident
Hatier, 1993

Marcel Jullian

La France à voix haute

Le Soldat et le Normalien

Fayard

Cet ouvrage a bénéficié de la généreuse collaboration de
François Vuillemin. Qu'il en soit ici remercié.   M.J.

Georges Pompidou fut le collaborateur et l'ami du général de Gaulle.

Ces deux hommes, d'origine et de formation différentes, étaient préoccupés avant tout de la France et des Français.

Depuis leurs premières entrevues en 1944 jusqu'à l'élection présidentielle de juin 1969, leurs vies se sont entremêlées comme celles des personnages de la tragédie classique, orientées par un destin commun.

A travers la guerre d'Algérie et les événements de mai 1968, en dépit des péripéties de la politique et de la vie gouvernementale, les deux hommes apparaissent liés par une exceptionnelle complémentarité.

Georges Pompidou, président de la République, a situé son action dans la continuité de celle du Général en mettant toutes ses qualités personnelles au service du pays.

Vingt ans après la disparition de mon mari, nous sommes reconnaissants, mon fils et moi, à Marcel Jullian de s'être plongé, grâce à une initiative de Denis Baudouin, dans un passé fait à la fois d'intimité et de grandeur : celui de « la France à voix haute ».

Claude Pompidou,
le 25 janvier 1994.

PREMIÈRE PARTIE

Avant la rencontre

« Durant le premier acte, Néron est
absent mais on ne parle que de lui. »

Georges Pompidou
(commentaire sur l'acte I de *Britannicus*)

I

Leur avant-guerre

« Le temps sera beau et chaud », annonce *Le Matin* du mercredi 5 juillet 1911. La France, depuis le premier jour du mois, vit sous « le coup d'Agadir ». La canonnière allemande *Panther* est entrée dans le port marocain où son équipage attend les ordres de Berlin. Hier, l'Angleterre a déclaré se ranger du côté français et, aujourd'hui, l'Espagne salue l'offensive du Reich. « Si l'Allemagne veut causer, la France est prête à l'écouter », titre le journal. Et, à Montboudif, petit village du Cantal, un fils naît chez les Pompidou. On l'appellera Georges.

☆

Les Pompidou descendent d'une longue lignée de paysans auvergnats. « L'Auvergnat, selon Maupassant, manque d'élégance native. Il n'est pas fier comme l'Arabe, arrogant comme l'Espagnol, élégant et coloré comme l'Italien. Mais il n'a pas l'air non plus hâbleur comme le Méridional, ni rusé comme le Normand. Il semble honnête, simple et bon. On se sent ici chez un peuple de braves gens. » Ces « braves gens », à force de caractère, d'assiduité et d'intelligence, ont accédé à l'enseignement, source de progrès et de justice sociale. « On n'enseigne pas ce que l'on veut, proclamait Jean Jaurès, dans *Pour la laïque*, je dirai même que l'on n'enseigne pas ce que l'on sait ou ce que l'on croit savoir : on n'enseigne et on ne peut enseigner que ce que l'on est. »

Jean Jaurès, député de la cité ouvrière de Carmaux, fondateur de *L'Humanité* en 1904, incarne l'espérance des hommes de progrès. Ancien professeur de philosophie, nourri de culture grecque et latine, il est entouré de vénération. Charles-André Julien se souvient, un certain jour de promenade à la campagne, avec son père, avoir vu passer le grand homme, dans sa voiture à cheval, les rênes à la main. M. Julien s'était immobilisé, avait ôté son chapeau et s'était incliné : « C'est *Moussu* Jaurès ! »

Le grand tribun avait prononcé à Albi un discours à la jeunesse, intitulé « Un nouveau sermon sur la montagne », qui avait connu un retentissement considérable. Au milieu d'envolées superbes, il avait fait l'apologie de la découverte permanente : « Le soleil, lui-même a été jadis une nouveauté, et la terre fut une nouveauté, et l'homme fut une nouveauté. »

Léon Pompidou, lui aussi, rêve de justice et de lumières. Ses amis sont, comme lui, des professeurs républicains, dont certains ont connu la prison pour leurs idées. Former les jeunes cervelles à la fraternité universelle est pour eux une tâche exaltante.

— J'espère bien, prophétise l'un d'entre eux, que mon fils Jean, qui a trois ans, connaîtra ce jour meilleur, pour lequel nous luttons.

— Moi aussi, répond Léon Pompidou, je reporte mon espoir sur mon petit Georges !

☆

Le 1er septembre 1912, Charles de Gaulle sort treizième de sa promotion de Saint-Cyr. Il demande à être affecté au 33e régiment d'infanterie d'Arras. Il a vingt-trois ans lorsque, promu lieutenant, il ouvre son carnet personnel, dans lequel il note : « Importance relative variable accordée, au cours de l'Histoire, au feu et au mouvement. Le combat au Moyen Âge. Essentiellement offensif. »

Quand, un peu plus tard, il accueille les nouvelles recrues, il exalte devant elles la carrière des armes : « Vous voilà arrivés au régiment. Vous n'êtes plus maintenant des hommes ordinaires. Vous êtes des soldats, des militaires... »

Quand la guerre éclate, Georges Pompidou a trois ans. Il sait déjà lire et écrire. Il entre à la maternelle. Son institutrice, Mme Durant, rapporte qu'il est taquin, qu'il feint de ne pas travailler, mais qu'au lieu de faire des pâtés de sable dans la cour avec ses camarades il dévore des livres illustrés. Il a un camarade et rival, le petit Louis Fieu, à qui il dispute la première place et les prix de fin d'année, et qui, travailleur acharné, est surnommé « le bœuf de labour ».

1er août 1914, Charles de Gaulle consigne dans son carnet : « Tout le monde attend pour ce soir l'ordre de mobilisation. Rentré de Joinville hier soir à 7 h 30. Calme absolu de la troupe et de la population. Mais inquiétude sur les visages. Comme les officiers sont quelqu'un maintenant en ville ! »

La guerre se poursuit dans le Nord et dans l'Est, loin du Massif central où le jeune Pompidou continue d'apprendre avec une facilité un peu déconcertante. Charles de Gaulle est fait prisonnier et conduit en Bavière dans le fort n° 9 à Ingolstadt. Il s'en évade une première fois. Repris, il y est ramené, et, le 18 mars 1917, il écrit à sa mère : « Ma bien chère maman, votre lettre du 5 me demande, avec une ombre d'inquiétude, des nouvelles de ma santé : elle est excellente. Quant à me faire photographier, je le puis très certainement, mais, dans ma lamentable situation actuelle, je m'y refuse absolument. »

Puis la victoire semble se dessiner. De Gaulle étudie et prépare pour ses camarades captifs une conférence sur le thème : « Conditions du conflit et du retour à la Paix ».

Enfin, en 1918, il retrouve le sol de France et annonce son arrivée à sa mère. La paix est revenue.

☆

Pour Georges Pompidou, l'heure du lycée a sonné. Il y entre en 1919. « Quand j'évoque Albi et le département du Tarn, tels que je les ai connus, déclarera-t-il beaucoup plus tard, il me semble en avoir gardé le souvenir d'une région délicieuse, très belle et un peu assoupie. »

Tous les biographes s'accordent sur ce point : Georges Pompidou avait la réputation d'être un bon élève. Il confie lui-même à Éric Roussel : « Ce que je veux dire c'est qu'en huitième, au lycée d'Albi, j'eus un maître exceptionnel, M. Delga. A neuf ans, sortant de ma classe, je possédais tout ce qui constitue l'acquis fondamental : orthographe et grammaire, me permettant d'écrire et de parler en français, notions de base d'arithmétique, calcul mental, histoire et géographie de la France. »

Louis Fieu, le premier de la classe, éternel adversaire, a suivi le même chemin que Georges. Entre eux, l'émulation se poursuit. Quand, le 5 avril 1970, Pompidou rend visite à son ancien lycée, il interpelle directement son camarade : « Et puisque tu évoquais, tout à l'heure, mon cher Fieu, un certain nombre de souvenirs de ma génération, j'en évoquerai un autre : celui de notre professeur de philosophie, Griollet, qui prêtait le flanc, il faut bien l'avouer, au chahut, et il le prêtait d'autant plus que, phénomène exceptionnel à cette époque, la classe de philosophie était mixte. »

M. Griollet préside la Société protectrice des animaux locale. Il semble y consacrer plus de passion qu'à la formation des jeunes cerveaux qui lui sont confiés. « Il aimait les animaux. Est-ce à ce titre qu'il nous aimait ? » se demande avec malice Georges Pompidou. Et il ajoute : « Toujours est-il qu'à la fin de l'année, après l'avoir vraiment fait souffrir, nous avons été saisis d'un remords collectif et que nous lui avons apporté notre adhésion, collective et individuelle, à la S.P.A. Les larmes aux yeux, Griollet nous a dit : "Ça fait tout pardonner." »

☆

A Albi, un troisième lycéen se mêle à l'empoignade. Il se nomme Robert Pujol. Avec Louis Fieu et Georges Pompidou, il suit les cours d'un jeune candidat à l'agrégation, M. Mercadier, qui les initie aux beautés du grec ancien et s'attarde souvent en leur compagnie, le soir, pour leur faire lire Racine, Rimbaud et Verlaine.

« Durant toutes mes années albigeoises, écrit Georges Pompidou, j'ai lu au moins un livre par jour. » C'est l'époque bénie où le grenier de la mémoire est grand ouvert. Tout ce qu'on y engrange enrichit l'esprit, et prépare les lendemains. Racine, par exemple, est déjà là, qui, plus tard, rendra si aisées à Pompidou l'analyse et la présentation du *Britannicus* pour les Classiques Hachette, de même que le Rimbaud et le Verlaine de l'*Anthologie de la poésie française*.

Outre les auteurs conseillés par M. Mercadier, le jeune homme a des lectures éclectiques : « Cela allait, dit-il, de

Jules Verne, de Ponson du Terrail et des romans d'Indiens à Dumas, puis à Balzac, Stendhal, Proust en passant par les classiques grecs, latins et français, *par tous nos poètes,* et par l'essentiel, ou que je croyais tel, des littératures étrangères, romans anglais, romans russes, surtout. »

En 1925, en classe de troisième, le beau duel entre Fieu et Pompidou se conclut par un résultat nul : huit citations chacun. L'année suivante, c'est la découverte du sentiment amoureux. Jean Cau rapporte qu'après s'être épris successivement de Bérénice et de Phèdre dans la classe précédente, puis s'être cru un peu maudit en fréquentant Baudelaire, Georges tombe amoureux, pour de vrai, d'une jeune Parisienne, « âgée de dix-sept ans, blonde, grande, et dont le visage s'éclaire d'immenses yeux bleus ».

☆

Elle a dix-sept ans. Georges n'hésite pas : il offre à Jeanne de l'épouser. Réponse du père : « Tu es folle ! Ce garçon est paresseux et il n'a aucun avenir ! »

☆

En première, Fieu précède Pompidou. Il décroche la mention « Bien » alors que son rival doit se contenter de la mention « Assez bien ». Georges, qui dit n'avoir pas assez travaillé, prépare sa revanche.

☆

De Gaulle vient de publier un article qui fait sensation, « La défaite, question morale ».

« La France continue, écrit-il. Il faut que, parmi ses enfants, le plus grand nombre possible — avant tout ses officiers — étudient, développent, propagent cette philosophie de la guerre qui inspire et coordonne les efforts aux jours des grands périls. Nous ne saurions oublier que c'est de nos œuvres que l'avenir sera pétri. »

De Gaulle est commandant. Il a troqué l'uniforme bleu horizon de l'infanterie contre celui des chasseurs et le képi contre la « tarte », le grand béret de tradition. Il a pris le commandement du 19e bataillon d'une unité d'élite, stationnée à Trèves, et il n'y passe pas inaperçu. Mgr Rupp, alors jeune sous-lieutenant, n'hésite pas à écrire : « De Gaulle fut tout de suite le point de mire. On jaugeait son extraordinaire solitude selon la mesure du quotidien. On disait : orgueil, froideur, ambition, envol spatial. »

De Gaulle respire l'air allemand de cette ancienne capitale d'un diocèse des Gaules, et considère avec sympathie les habitants, marqués, selon lui, « par l'âme de leurs ancêtres gaulois et francs ». En revanche, il n'apprécie guère ses camarades officiers. A l'un d'eux, il confie : « Dans cette garnison, il n'y a que des imbéciles, sauf vous et moi... »

Le 1er janvier 1928, naît chez les de Gaulle une petite fille qui reçoit le prénom d'Anne.

☆

1929. Premier prix de version grecque au concours général : Pompidou Georges. Deuxième prix : Billères René, tous deux du lycée d'Albi. Le premier sera président de la République, le second ministre de l'Éducation nationale.

C'est l'inspecteur général de l'Instruction publique en personne qui vient annoncer la grande nouvelle aux heureux parents, alors que Marie-Louise Pompidou est occupée à préparer ses confitures.

Il ne reste plus à Georges, à qui tout réussit, qu'à passer son baccalauréat. Il le prépare en dilettante, néglige les langues vivantes et les sciences pour se concentrer sur ses matières favorites : les disciplines littéraires. En épreuve de philo, il prend le temps de rédiger deux dissertations : l'une à son propre usage, la seconde pour la demoiselle de ses pensées. Il soigne la dernière, et, talonné par le temps, bâcle la première. Il est reçu sans mention.

☆

Georges Pompidou s'empresse de chasser de sa mémoire cette déconvenue passagère. Il sollicite et obtient une bourse d'études et entre en hypokhâgne au lycée de Toulouse avec ses trois condisciples : Louis Fieu, Robert Pujol et René Billères. Un professeur d'exception les attend : l'historien Gadrat. Il aura sur eux une forte influence. Pompidou le décrit ainsi : « Gueule cassée de 1914-1918, républicain du Sud-Ouest, ardent patriote, il faisait revivre l'histoire et plus particulièrement l'histoire de France avec la passion d'un Michelet qui aurait connu Gaxotte et Mathiez. » Et il ajoute, tant l'homme l'a marqué : « Si, dès 1940, j'ai été totalement gaulliste sans jamais proférer un mot d'insulte à l'égard du maréchal Pétain, c'est à cause de ce que M. Gadrat m'avait appris : respect de notre France si diverse et instinct de sa nature essentielle. »

☆

L'année 1930 s'ouvre en Allemagne par la mort du chef S.A. Horst Wessel, blessé dans une rixe avec un communiste. Il est enterré avec la pompe réservée aux héros. On compose un chant à sa gloire qui deviendra l'hymne nazi. Ernst Jünger publie *Orages d'acier* et Cocteau fait jouer *La Voix humaine*, interprétée par Berthe Bovy dans une mise en scène de Christian Bérard.

En mars, le Sud-Ouest est inondé. On compte plus de deux cents morts et des milliers de sans-abri. Le 9 est déclaré journée de « deuil national ».

Georges Pompidou a quitté Albi pour la capitale. Il entre à Louis-le-Grand. Il refait le chemin qu'a parcouru, quelques années plus tôt, dans les mêmes conditions, un bachelier de seize ans et demi, Robert Brasillach, qui le raconte dans *Notre Avant-Guerre* avec une mélancolie adolescente : « Je venais de passer une dernière année au milieu de mes amis et des jeunes filles, en courses sur les collines, en promenades, en danses le soir, en découvertes amicales et sentimentales... »

« Homme complexe et souvent insaisissable, dit Édouard Balladur de Georges Pompidou, il est rebelle à toute définition simple. »

Le voici à Paris, le dernier venu d'une race dure au mal, peu portée à l'effusion des sentiments, qui a, sans broncher, subi, le long de générations successives, la rigoureuse alternance des saisons auvergnates. Il est brillant, érudit, malicieux, et il aime vivre. « Georges Pompidou, notera François Mauriac dans son "Bloc-note", n'appartient pas à la faune des mares stagnantes, c'est un universitaire issu de la meilleure race française : celle des instituteurs. »

Il est certes ému, mais pas enivré. Il sait ce qu'il veut : l'École normale supérieure. C'est un objectif fabuleux. L'un de ceux qui l'y ont précédé, Pierre Bertaux, normalien de 1926, la présente ainsi : « A travers tous les lycées de France et de Navarre, chaque année on sélectionnait durement une trentaine de jeunes gens, on leur affectait un vieux bâtiment derrière le Panthéon, on les y mettait à fermenter ensemble en octobre [...], on leur confiait une bibliothèque de quatre cent mille volumes, on y guidait un peu leurs premiers pas. Pour le reste, on les abandonnait à eux-mêmes. »

Mais avant Normale sup, il y a Louis-le-Grand.

« Nous savions, en arrivant, écrit Robert Brasillach, que nous allions entrer dans la classe d'André Bellessort, qui enseignait le latin et le français en hypokhâgne. »

Bellessort était, en outre, directeur littéraire de la Librairie académique Perrin, rue Séguier, près des quais de la Seine. S'il y veillait à la qualité des textes, il lui arrivait aussi de faire preuve d'un flair diabolique pour des ouvrages de moindre importance mais promis à un destin hors pair. Il reçut un jour une jeune fille, nommée Marguerite Bourcet, qui lui apportait le manuscrit d'un ouvrage consacré au « duc et à la duchesse d'Alençon », tous deux brûlés vifs dans l'incendie du Bazar de la Charité. Il le lut dans la nuit et décréta : « Ce livre contient du radium. »

Le succès de librairie fut considérable. L'auteur ne le vit pas, emportée avant sa parution par un cancer foudroyant. Durant de longues années, *Le Duc et la duchesse d'Alençon* fut régulièrement réimprimé. Quand je fus appelé, des années plus tard, à m'asseoir dans le fauteuil d'André Bellessort à la Librairie, je trouvai d'autres exemples de son extraordinaire lucidité. Cet homme, devenu académicien français, avait des prémonitions littéraires.

☆

De Gaulle s'agite. Il a pris l'habitude de donner à des revues parisiennes des articles dérangeants sur la condition militaire. Comme il le déclare à son ami le colonel Nachin : « Je passe généralement pour un homme qui remue des idées. » Il publie « La condition des cadres dans l'armée », avec, en exergue une phrase de Maurice Maeterlinck : « Fermer les yeux c'est la plus basse trahison. »

Le soldat et le khâgneux ne lisent pas les mêmes poètes.

☆

Pour le lycéen lauré qui débarque d'Albi, tout ce qui a trait à la capitale est d'essence supérieure et il s'attend à trouver à Louis-le-Grand des êtres quasi surnaturels. Ils ont nom René Brouillet, futur ambassadeur au Vatican, Pham Duy Khiem, ambassadeur du Viêt-nam à Paris, Paul Guth et Léopold Sedar Senghor. Ce dernier prophétise à ses camarades de « bahut » : « Un jour, j'affranchirai mon peuple ! » Il écrit des poèmes comme une longue litanie qu'on récite, chez lui, en Afrique, sous l'arbre à palabres : « J'ai choisi mon peuple noir, peinant, mon peuple pour toute la race paysanne du monde ! »

Georges s'est très vite accoutumé à l'hypokhâgne, qui, à l'époque, compte entre quarante et quarante-cinq élèves. « La plupart, observe Brasillach, étaient de milieu assez modeste, fils de petite bourgeoisie, de petits fonctionnaires, d'instituteurs ou de professeurs. Bons "sujets", comme on dit, trente prix d'excellence, pour le moins, et pas mal de boursiers. »

☆

Jean Giraudoux, qui entra à Normale un quart de siècle plus tôt, vient d'écrire, en 1929, *Amphitryon 38,* que Louis Jouvet a mis en scène. Deux répliques font mouche :

« Quoi de plus beau qu'un général qui vous parle de la paix des armes dans la paix de la nuit ?

— Deux généraux. »

☆

En 1931, Georges Pompidou est admissible à l'École, à la huitième place. Il confie à Jean Bousquet, son condisciple, reçu premier au concours d'entrée : « Tu es mon remords vivant ! »

A l'examen final, Georges est neuvième. Il passe en dépit des regrets formulés du jury, qui lui reproche de ne pas avoir travaillé. « Tout Louis-le-Grand, confie-t-il, était convaincu que je serais reçu premier et l'École donnant ainsi au vieux lycée le succès qu'il attendait depuis plusieurs années. » Et il avoue qu'une certaine nonchalance au moment des épreuves est responsable de cette déception. N'importe : il entre rue d'Ulm. C'est l'ivresse.

« Je puis bien dire, écrit Brasillach, que j'ai passé là des années merveilleuses, bien différentes de mes années de Louis-le-Grand, trois années de grandes vacances, dans la plus entière liberté matérielle et intellectuelle. »

Le mot revient au fil des pages : « Libres ! Nous étions libres, au-delà des entraves du travail, libres comme nous ne le serons jamais plus : nous avions en commun les distractions, les jeux, les loisirs, les études, l'argent, les logis [...].

« Aussi s'approfondissait pour nous l'envoûtement de Paris, à quoi ceux qui l'ont connu à dix-huit ans n'échapperont jamais. »

C'est vrai que, de cette époque de la rue d'Ulm, Georges Pompidou, lui aussi, gardera toute sa vie un souvenir vivace. Il ne s'agit pas d'un sentiment propre à un jeune homme issu de milieu modeste et provincial, soudain transporté, selon le mot de Nizan, « au sein d'une troupe orgueilleuse de magiciens où règne l'esprit de corps des séminaires et des régiments ». Presque tous les normaliens ont gardé de leur passage à l'École l'impression profonde d'y avoir réellement vécu, comme l'a écrit Sartre, « quatre années de bonheur ».

Dans la préface qu'il a donnée à l'ouvrage d'Alain Peyrefitte *Rue d'Ulm*, Georges Pompidou s'exprime avec un rare bonheur d'écriture :

« Le Normalien lui-même existe-t-il ? Qui l'a vu ce qui s'appelle vu ? L'habitué du boulevard Saint-Michel sait que, chaque mercredi, les trottoirs sont envahis par de mystérieux personnages en uniforme, coiffés de bicorne et munis d'une petite valise. Qui a rencontré des ingénieurs, des directeurs, des présidents, les a vu échanger, à coup d'annuaires, des précisions sur leurs promotions respectives. Un sociologue peut donc, en toute certitude, conclure à l'existence du Polytechnicien. Mais le Normalien, où le trouver ? »

☆

De Gaulle a publié dans *La Revue de l'Infanterie* du 1ᵉʳ avril 1933 un article intitulé : « Le soldat de l'Antiquité », placé sous l'invocation de Sophocle : « C'est après le soir qu'on peut dire que le jour fut beau. C'est après la mort qu'on peut juger de la vie. » Et de Gaulle trouve, lui-même, un style altier pour exalter, une fois encore, l'honneur des armes : « L'hoplite des Thermopyles tire l'épée, écrit-il, pour obéir aux lois de Lacédémone, le centurion de la guerre des Gaules n'attend que l'éloge de César, mais leurs mérites sont équivalents qui les porteront au même sacrifice. Hélas, deux soldats morts se ressemblent tant ! »

André Gide préside à Paris la réunion de l'Association des écrivains et artistes révolutionnaires. De son côté, Georges Pompidou, accompagné de son inséparable Pujol, décide d'aller, en août 1933, visiter l'Autriche menacée par l'Anschluss. Dans *Le Destin secret de Georges Pompidou*, Merry Bromberger raconte leur voyage :

« A Innsbruck, entrant dans un café, ils entendent l'orchestre attaquer *La Marseillaise*. Ils sont très flattés et s'immobilisent. A la réflexion, ils s'assoient. L'orchestre achevait, sans prêter attention aux touristes, *Les Deux Gre-*

nadiers de Schumann, qui comporte des accents de notre hymne national. »

Les deux amis se rendent ensuite à Munich et prennent place, pour déjeuner, « dans une brasserie entièrement remplie d'uniformes ». Ils regardent, écoutent, conscients d'être cernés de regards hostiles et de svastikas. « Je devinais sans peine ce qui se préparait, rapporte Pompidou, et je me désolais du manque de réaction de la France et de ses gouvernements, quels qu'ils fussent. »

C'est cette vision, ainsi que celle des statues décapitées du Kaiser Guillaume Ier et de Bismarck devant la grand'poste de la ville, qui amène Pompidou à confier à un ami : « Les conceptions militaires de la gauche pacifiste nous conduisent à l'abîme. »

☆

Le 13 janvier 1934, alors que Paris a la fièvre après la découverte du cadavre du bel Alexandre Stavisky dans un chalet de Chamonix, Charles de Gaulle donne à la *Revue des vivants* un article qui choquerait sans doute le normalien Pompidou, et qui s'intitule : « Forgeons une armée de métier ! ». Comme il se plaît à le faire, de Gaulle inscrit en exergue un vers d'un de ses poètes favoris, Albert Samain : « C'est le temps du travail et des métamorphoses. » Puis il se lance dans un long plaidoyer en faveur de sa conception, qualifiée d'élitiste et, par certains, d'antidémocratique, de la force militaire de la nation : « On verra, écrit-il, jusqu'où peuvent, à la faveur de la technique et dans un système de qualité, l'art et la vertu qui sont l'honneur des armes ! »

A la fin de janvier, les manifestations antiparlementaires commencent à se multiplier dans la capitale. Édouard Daladier est nommé président du Conseil. Le 6 février, pour protester contre la révocation du préfet de Paris, Jean Chiappe, favorable aux partisans de l'ordre (Péguy affirmait : « L'ordre et l'ordre seul fait en définitive la liberté. Le désordre favorise la servitude »), les « ligues » organisent une marche sur le Palais-Bourbon aux cris de : « Les députés à la Seine ! » et « Mort aux pourris ! ». Les anciens combattants viennent les renforcer, la manifestation dégénère.

Georges Pompidou, décidément à l'affût du monde qui bouge, est à la Chambre. Il assiste à la séance, grâce à un billet de Paul Boncour, grand pacifiste et ami de son père, auquel il continue de vouer une très vive admiration. Pompidou est atterré. On craint que les émeutiers ne viennent envahir l'hémicycle. Dehors, les premiers coups de feu éclatent. La confusion d'un pouvoir affolé s'étale dans l'Assemblée. Pompidou le ressent comme une douleur. Les principes que son milieu familial et sa formation universitaire lui ont inculqués au long d'années d'études craquent sous ses yeux, et il vérifie — avec une certaine détresse — la réalité du mot, terrible, d'Alphonse Daudet : « Les corps constitués sont lâches. » Il frémit en repensant à ce qu'il a vu en Bavière et qui menace tout ce qu'il croit et à quoi il tient. Un avenir botté avance à grands pas.

Reçu premier à l'agrégation de lettres à la sortie de Normale, malgré l'avis défavorable d'une bonne partie du jury qui, une fois encore, lui a reproché de n'avoir pas fait assez d'efforts, Georges Pompidou a conscience que sa vie d'étudiant va prendre fin, et la nostalgie le visite : « En ce qui me concerne, écrit-il, j'avais le cafard. Je savais que ma jeunesse était finie, qu'il allait falloir entrer dans la vie pour la gagner. Ce qui, pour beaucoup, était un départ m'apparaissait comme un terme et une limitation [...]. J'ai gardé des trois années que j'ai passées à Normale un souvenir impérissable [...]. Je ne connais pas de milieu où, mieux qu'à l'École dans les années trente, se soit donné libre cours la liberté de l'esprit [...] j'ai gardé la nostalgie de cette liberté, même si j'ai compris depuis qu'elle tenait pour une bonne part à l'absence de responsabilité. »

L'empreinte est indélébile. « Le royaume normalien n'est pas de ce monde, observe-t-il dans sa préface à *Rue d'Ulm*. De naissance, il appartient, comme l'a confessé Giraudoux, *à une société d'ombres*. Ses relations ne lui sont d'aucune utilité, qu'elles s'appellent Homère, Platon, Virgile ou bien Descartes, Racine ou Baudelaire [...]. Il croit à tout et passionnément. S'il croit en Dieu, c'est avec la foi de Pascal, et s'il croit en la science, c'est avec la candeur de Renan. Il croit à l'honneur comme Corneille et à l'amour comme Racine. Il croit à la France comme Michelet et à l'humanité comme aussi Michelet. Il croit à la liberté comme Voltaire, et à l'égalité comme Rousseau, il croit à la tradition et au progrès, à la République des Philosophes et au gouvernement du peuple. Plus que tout, il croit à la réalité des Idées. »

Et, ne résistant pas à l'ironie, accessoire indispensable à toute analyse, Pompidou ajoute en post-scriptum : « Si quelqu'un prétendait que j'ai donné du normalien une description flatteuse, qu'il veuille bien considérer que j'ai décrit l'Idée. Les incarnations n'en sont pas toujours parfaites, mais l'Idée seule est vraie. »

☆

1934 est la grande année universitaire de Georges Pompidou. Il ne se contente pas de la rue d'Ulm et de l'agrégation[1], il profite de la souplesse des horaires de l'École pour

---

1. On doit à la Société des agrégés la communication du programme d'agrégation de 1934 : la version latine sur le *De Brevitate Vitae* de Sénèque (chapitre XX), le thème latin sur le *Stella* d'Alfred de Vigny, la version grecque sur le *Contre Midias* de Démosthène et le thème grec sur le premier placet au *Tartuffe* de Molière. Quant à la composition française, elle portait sur un jugement de Taine sur Sainte-Beuve : « Il procédait par le dehors [...] il n'avait pas le goût pour chercher les choses internes et les mécanismes innés. »

présenter (et obtenir) le diplôme de Sciences Po. L'enfant surdoué de Montboudif goûte alors avec un peu de désespérance aux derniers moments de « notre avant-guerre ».

Georges Pompidou s'exprime clairement sur la rue Saint-Guillaume : « Normalien, il me prit envie d'obtenir le diplôme dont le prestige nous paraissait à l'opposé de celui de Normale. L'exemple m'en était donné par quelques camarades dont Louis Poirier, illustre sous le pseudonyme de Julien Gracq, ou René Brouillet [...] mais nous estimions, rue d'Ulm, être dans le sanctuaire du travail, de la vraie culture et des fils du peuple. Nous considérions Sciences Po comme celui de la bourgeoisie, de la superficialité et du farniente. »

Et, pour la première fois, Georges Pompidou écrit le mot « politique ». « Ceux qui autrefois comme aujourd'hui ont fréquenté rue Saint-Guillaume, quelles que soient leurs préoccupations d'avenir et de carrière, étaient et sont tous intéressés et souvent passionnés par la politique. J'entends politique dans le sens le plus élevé et le plus large du terme, et qui englobe l'étude des sociétés, des économies, des institutions, des rapports internationaux mais aussi de l'homme. »

☆

Comme Jean Jaurès, Paul Boncour, Anatole de Monzie, Georges Pompidou a le cœur à gauche. Son condisciple Senghor s'en souvient : « C'est lui qui m'a converti au socialisme, écrit-il, et je me mis, chaque matin, à lire l'article de Léon Blum dans *Le Populaire*. Bien sûr, il ne me fit pas renier mes ancêtres, mais il favorisait chez moi une ouverture d'esprit qui me faisait approfondir ma négritude. »

La Munich bottée et la Chambre des députés en perdition ont profondément marqué le nouvel agrégé convaincu, à juste titre, de sa valeur. Il a côtoyé peut-être davantage que ses camarades, au hasard de ses relations, de ses loisirs, un autre milieu qui ose d'autres enjeux que l'enseignement et la pure spéculation intellectuelle. Conscient d'avoir acquis les outils qui permettent d'aborder les affaires publiques, Pompidou apparaît comme un universitaire brillant, marqué par l'influence du socialisme et du radicalisme qui président alors aux destinées politiques de la France au sud de la Loire. Il n'en est pas moins lucide : le spectacle délétère que présente la Troisième République finissante n'est pas de nature à soulever l'enthousiasme d'un jeune homme triomphant. Aussi Georges se tient-il à distance de l'action militante. Il se sent proche de « la gauche du possible » qu'incarne à ses yeux Paul Boncour, député du Tarn et leader modéré de la S.F.I.O. Comme au temps du lycée d'Albi, il lit beaucoup. *La Condition humaine* de Malraux et *Le Voyage* de Céline l'impressionnent fortement. Et puis, il y a la vie artistique. « L'art, dit-il, est l'épée de l'archange et il faut qu'elle nous transperce. » A dix-huit ans, il achète *La Femme 100 têtes* de Max Ernst, dont le prix est accessible aux étudiants sans fortune. C'est un choix essentiel[1]. Pompidou voit dans l'abstraction contemporaine, dans le refus du sujet, l'expression d'une lassitude et une soif de renouvellement. La peinture abstraite est celle de sa génération. Il y discerne « une puissance de rêverie et de poésie incomparable ».

☆

Le 17 décembre 1934, *La Revue militaire française,* par la plume du général Colson, refuse de publier l'article que de Gaulle consacre à l'armée de métier. Il le fait sur l'ordre du général Maurin, ministre de la Guerre, lequel déclare, tout

---

1. Le peintre, trente ans plus tard, la dédicacera à Georges avec la mention : « A Georges Pompidou (17 ans !!!). Compliments. Max Ernst. »

de go, qu'il est « hostile à toute réforme qui risque d'opposer, dans les esprits, une armée de métier à une armée nationale ».

Pour le lieutenant-colonel d'active, c'est la rupture. Rejeté par les siens, de Gaulle se tourne vers les hommes de lettres. *Vers l'armée de métier,* publié chez Berger-Levrault, connaît un succès inattendu et extérieur au milieu militaire. Dans *La Revue des Deux Mondes,* Daniel Halévy sonne le rappel : « Qu'un homme de métier, écrit-il, soit aussi un homme de plume, c'est une rencontre heureuse et rare. Je pense aux grands qui nous vinrent ainsi de la carrière des armes : un Vauvenargues, un Vigny, et portèrent jusqu'au bout leur marque ineffaçable. M. Charles de Gaulle n'est pas indigne de ces hauts personnages. »

De fait, l'auteur n'a pas attendu le refus de *La Revue militaire française* pour passer à l'action. Le 5 décembre, accompagné de Jean Auburtin, qui a obtenu le rendez-vous, il se présente rue Brémontier, au domicile de Paul Reynaud. « Je vis entrer dans mon cabinet, écrit l'ancien et futur président du Conseil, un *haut* lieutenant-colonel de chasseurs à pied. » Maurin ne décolère pas : « De Gaulle a pris un porte-plume, André Pironneau, rédacteur en chef de *L'Écho de Paris,* et un phonographe, Paul Reynaud ! Je l'enverrai en Corse ! »

Dans son for intérieur, l'intéressé jubile. « La difficulté attire l'homme de caractère, écrit-il, car c'est en l'étreignant qu'il se réalise lui-même. Mais, qu'il l'ait ou non vaincue, c'est affaire entre elle et lui. Amant jaloux, il ne partage rien de ce qu'elle lui donne ni de ce qu'elle lui coûte. Il y cherche, quoi qu'il arrive, *l'âpre joie d'être responsable.* »

☆

Au moment de partir faire ses classes à Saint-Maixent, en compagnie de René Brouillet et de Jacques Soustelle,

Georges Pompidou fait l'analyse de la situation internationale. Il exposera plus tard son point de vue dans un discours prononcé à l'occasion du centenaire de l'École libre des sciences politiques (8 décembre 1972) : « S'agissant de la France, de sa place et de son rôle dans le monde, il faut d'abord en prendre la mesure. Quelqu'un qui n'a jamais été mon maître à penser, tant s'en faut, Charles Maurras, a, dans *Kiel et Tanger*, dès 1910, prévu le monde actuel. Je cite : "Il est composé de deux systèmes : plusieurs empires avec un certain nombre de nationalités, petites ou moyennes, dans les entre-deux. Un monde ainsi formé ne sera pas des plus tranquilles. Les faibles y seront trop faibles, les puissants trop puissants et la paix des uns et des autres ne reposera guère que sur la terreur qu'auront su s'inspirer réciproquement les colosses. Société d'épouvantement mutuel, compagnie d'intimidation alternante." »

De Gaulle et Pompidou ont pris la mesure du destin qui les attend, à des heures et à des niveaux différents, et, désormais, l'Histoire devant eux va presser le pas.

II

Le rendez-vous de la Somme

Elle a passé, la jeune fille
Vive et preste comme un oiseau :
A la main une fleur qui brille,
A la bouche un refrain nouveau.

C'est peut-être la seule au monde
Dont le cœur au mien répondrait,
Qui venant dans ma nuit profonde
D'un seul regard l'éclaircirait !

Mais non, — ma jeunesse est finie...
Adieu, doux rayon qui m'a lui, —
Parfum, jeune fille, harmonie...
Le bonheur passait, — il a fui !

Le poème de Gérard de Nerval, « Une allée du Luxembourg », ouvre pour Georges Pompidou l'année 1935. Il flanait, comme Nerval dans le jardin. « Au mois de juin, écrivait Brasillach, lorsqu'il m'arrive de le traverser, je regarde toujours les jeunes gens et les jeunes filles assis sur les chaises de fer, sous les statues des reines de pierre. Nous avons été pareils à eux, nous avons traîné, par les journées tièdes, nos cahiers d'histoire sous les arbres, nous avons travaillé en plein air, amollis soudain par une bouffée d'air parfumé, devant les enfants autour du bassin, les voiliers, les marchands de coco. »

Pompidou devait avoir le même regard sur les belles pro-
meneuses. « Les femmes tenaient beaucoup de place dans
ma vie, écrit-il, et je reste convaincu qu'un visage de jeune
fille et qu'un corps souple et doux sont parmi ce qu'il y a
de plus émouvant au monde avec la poésie. »

Il la rencontre. *Elle*, c'est Claude. Il se trouve face à face
avec elle : grande, mince, blonde, allure sculpturale, en
trench-coat et coiffée par le vent, elle vient tout juste de
s'inscrire en première année de droit. « J'ai eu un coup de
foudre dans ma vie, confie Georges. Un seul. Le jour où j'ai
rencontré ma femme. A partir de quoi toute ma vie fut
changée. »

Les choses vont bon train et on ne tarde pas à parler
mariage. Le père de Claude, médecin, a la réputation d'avoir
le caractère abrupt : « Le garçon ira loin, prophétise-t-il. S'il
a la santé. »

☆

De Gaulle enrage. Le 15 janvier 1935, il a fait tenir une
lettre d'alarme à Paul Reynaud où perce une impuissance
désespérée. « Les Allemands auront donc, dès la fin de cette
année, mis sur pied le corps spécialisé cuirassé, alors que,
chez nous, il n'y a encore aucun commencement sérieux de
réalisation. »

La fin du message prend un ton plus personnel : « Je
n'insiste pas sur la douleur que peut ressentir un officier qui,
ayant tracé pour son pays un plan de salut, voit ce plan
appliqué intégralement par l'ennemi éventuel et négligé par
l'armée à laquelle lui-même appartient. »

Le 15 avril, s'ouvre à la Chambre le débat sur le budget
de l'Armée. Léon Blum interpelle le gouvernement, qui vient
de faire connaître sa décision de porter à deux ans, par
décret, la durée du service militaire ; mais le leader socialiste

s'en prend vite à la fameuse armée de métier : « Si la France a été sauvée en 1914-1918, vous savez bien que c'est par une armée qui ressemblait davantage à l'armée de Jaurès, de Vaillant et de Guesde qu'à l'armée des trois ans et de l'état-major général. »

Blum évoque même « l'armée de choc et de vitesse, comme dit, je crois, M. de Gaulle, toujours prête pour les expéditions offensives et pour les coups de main ». La péroraison est superbe. Pompidou, comme son camarade Senghor, a dû la lire dans *Le Populaire* du lendemain : « On ne vit qu'une fois, Messieurs, et on ne meurt qu'une fois. Si l'on doit donner sa vie que ce soit au moins pour quelque chose, que ce soit pour la délivrance de ceux qui peinent et de ceux qui souffrent, que ce soit pour léguer vraiment à nos enfants quelque chose qui soit la paix ! »

Le 14 octobre 1935, Georges Pompidou, marié, prend ses fonctions au lycée Saint-Charles de Marseille. Pierre Guiral, qui est professeur, confie à Merry Bromberger : « A première vue, rien ne devait me rapprocher de Georges Pompidou lorsque, frais émoulu de l'École normale supérieure, jeune marié à vingt-quatre ans à peine, il fut nommé à Marseille, dont j'étais un natif et où j'avais assez d'amis pour ne pas en chercher de nouveaux. »

On le voit, d'entrée de jeu, le ton est altier. Cela tient sans doute à la concurrence des khâgnes de Louis-le-Grand (dont vient Pompidou) et d'Henri-IV (d'où sort Guiral). « Nous étions, ou nous nous estimions, écrit Guiral, plus détachés de ces misères de "bachoteurs" et travaillant plus aisément dans le génie. » De plus, Guiral, qui était secrétaire de la petite section marseillaise du parti frontiste de Gaston Bergery, voyait, un peu déçu, débarquer un jeune homme de son âge, enseignant comme lui, mais apparemment détaché de la politique.

« Il avait acheté une voiture, ajoute-t-il, ce qui n'était pas si courant pour un professeur débutant, et il employait ses week-ends à découvrir la Provence, paysage et restaurants. » Parlait-on encore, en cet automne 1935, de l'attentat perpétré sur la Canebière, le 9 octobre de l'année précédente, au cours duquel le roi Alexandre de Yougoslavie et le ministre français Louis Barthou avaient trouvé la mort ? On avait évoqué, lors du drame, l'affaire de Sarajevo qui avait servi de détonateur à la Grande Guerre. Depuis, les pessimistes parlaient de fatalité et de nouveaux malheurs à venir. *Le Petit Marseillais* rapportait les exploits sanglants du bandit corse Spada et relatait le naufrage du *Schiaffino* : « Plus d'espoir de retrouver des survivants. 21 disparus. » Fernandel était en attraction au Pathé Palace, où l'on jouait *L'Aventurier*, un film de Marcel Lherbier avec Victor Francen et Blanche Montel, tandis qu'à l'Odéon Louis Armstrong, roi du jazz, se produisait avec ses quatorze virtuoses.

L'hiver, il neige jusqu'à Draguignan. Les coteaux de Malmont et la route de Grasse sont saupoudrés de blanc. La mer est blême.

« A vrai dire, écrit Pierre Guiral, nous formions une petite bande, une bande de quatre, tous professeurs au même lycée : deux anciens, deux célibataires, Pierre Colotte et moi, deux nouveaux, deux jeunes mariés, Jean-Pierre de Dadelsen et Georges Pompidou. »

De Marseille, plusieurs témoignages me sont venus spontanément. J'ai appris par le conservateur en chef du Patrimoine que les Pompidou habitaient rue Marx-Dormoy. Le docteur J.-H. Corriol, qui fut élève de Georges Pompidou en première (français, latin, grec), puis en philo, me dit que son professeur « donnait des conférences de littérature française qui auraient mérité d'être publiées ». Louis Noell, ancien avocat et magistrat, a, pour sa part, fondé l'Association des anciens élèves de Georges Pompidou. J'ai sous les yeux la photographie de la première A en 1937-1938 : au premier rang, assis, Spitalier, devenu cancérologue, Georges Pompidou, Couturel, quincaillier à Istres, André Redon, cardiologue. Au deuxième rang, debout, Raymond Long, qui dirigera le cabinet de Georges Pompidou, Delachet, qui sera gardien de but de l'O.M. Au troisième, Resch, commissaire de police, Alexandre Pujol, avocat, P. Baudillon, professeur, et Padovani, médecin à La Ciotat.

Ce sont les « strates » visibles d'une classe, dans un lycée de Marseille, à la veille de la Seconde Guerre mondiale. J'ai également sous les yeux le tableau du personnel et les états de services du professeur Pompidou Georges Raymond, né le 5.7.11 à Montboudif Cantal. A la colonne « état civil et nombre d'enfants », on a d'abord indiqué « célibataire », qu'on a barré pour mettre « marié ». On précise aux « observations » : ancien élève E.N.S. et 1 an de Service militaire. Pompidou passe successivement de la troisième (31.7.35 au 14.10.35) à la deuxième (2.9.36 au 1.10.36) puis à la première (21.7.37). C'est, dès le travail fini, le temps de l'amitié. On donne ses cours au même lycée, on sort ensemble, on se rend les uns chez les autres.

Georges Pompidou est un maître soucieux de ne pas ennuyer ses élèves. L'un d'entre eux, M. Léon Aichaud, m'écrit pour en témoigner : « Je l'ai eu en troisième en français puis en première en latin. C'était un professeur qu'on ne chahutait pas. Il n'était pas sévère, plutôt calme, détendu. Un jour, citant le nom de François Coppée, il s'était empressé de préciser : "Ce poète pour qui j'ai une haine toute particulière." » Mon correspondant ajoute que le professeur leur avait cité comme chef-d'œuvre de platitude l'alexandrin suivant : « Il était receveur de l'enregistrement. » Personnellement, j'ai toujours en tête un alexandrin comparable : « Le fils de la concierge entre à Polytechnique. » M. Léon Aichaud raconte encore comment leur professeur, à la veille du bac, leur avait recommandé : « Vous allez faire une version latine qui aura une certaine importance dans votre vie. » Il cherchait à leur épargner les sanctions mais il lui arrivait pourtant, quand l'élève s'obstinait à récidiver, de se montrer intransigeant. Un rapport du 1er avril 1935 concernant un élève de première A dont le nom a été soigneusement caviardé s'achève sur ces mots : « Je me permets de signaler que l'élève a eu déjà de nombreux rapports avec le conseil de discipline et qu'à plusieurs reprises il avait été question de son exclusion. Chaque fois, je l'avais défendu mais j'estime que, cette fois, il a dépassé les bornes. » Cette rigueur, quand elle se révèle indispensable, n'empêche pas Georges Pompidou de lire à sa classe les meilleurs passages des fameux *Copains* de Jules Romains. Claude Pompidou vient parfois l'attendre à 14 heures à la sortie de ses cours. Pierre Guiral précise : « Elle était vêtue avec élégance, généralement en tailleur. » De son côté, Léon Aichaud ajoute : « Nous avions remarqué cette grande femme, élégante et fardée. Ils avaient l'air très amoureux. »

Tandis que Georges Pompidou enseigne à Marseille, de Gaulle, à Paris, s'acharne à défendre son projet d'armée mécanisée. « Le char est une révolution, écrit-il, dans la forme et l'art de la guerre. » Il adresse soixante-dix lettres à Paul Reynaud pour le tenir en éveil et l'encourager dans son action parlementaire : « Vous avez, hier, révélé à lui-même l'éternel instinct national ! »

Il est si pris par son sujet qu'il en arrive à lui écrire, lui, d'ordinaire si hautain, « je n'ambitionne pas d'honneur plus grand que celui de vous servir dans cette œuvre capitale ».

Le 9 novembre 1935, de Gaulle récidive dans *L'Ordre* d'Émile Buré. Il prend soin de changer les termes mais non le fond de sa démonstration. Il parle de l'armée de *qualité* (il ne dit plus *de métier*) opposée à l'armée de *quantité*. Et il conclut : « Il nous faut, *à la fois*, les effectifs et le matériel. »

Reynaud subit, de sa part, un siège en règle. Jamais sans doute, et de toute son existence, de Gaulle, obsédé par le temps perdu, n'a manifesté une telle obstination : « Me trouvant actuellement des loisirs tous les après-midi, sauf celle du 2 décembre, écrit-il à l'homme politique, je me tiens à votre entière disposition pour tout travail que vous voudriez me demander. »

Enfin, après avoir participé aux travaux du Centre des hautes études militaires, le « *haut* lieutenant-colonel » reçoit le commandement du 507ᵉ régiment de chars, stationné à Metz.

Éloigné de Paris, de Gaulle ne se fait plus guère d'illusions. Participant à une tournée d'inspection des défenses de la frontière franco-italienne qu'effectue le général Gamelin, il rend visite à son beau-frère, Jacques Vendroux, en vacances avec sa famille à Pralognan : « Charles me confie, écrit Vendroux, avec plus de pessimisme qu'il n'en laisse paraître de coutume, qu'il est vraiment fort inquiet du proche avenir : la veulerie des politiciens, qu'ils soient alliés ou français, permet à Hitler de reconstituer, dans un esprit de revanche, une force militaire de plus en plus moderne et forte. »

Comme Vendroux le raccompagne à l'hôtel de Brides où loge la mission, durant trente-cinq minutes que dure le voyage en voiture, de Gaulle énumère les fatalités mauvaises : la précarité de la ligne Maginot, l'absence d'une puissante armée blindée, le gouvernement et le général en chef « encroûtés dans la doctrine du béton-roi », l'impréparation des Anglais, l'insécurité des Russes, l'esprit temporisateur des Américains, et il conclut : « Notre territoire sera sans doute, une fois de plus, envahi ; quelques jours peuvent suffire pour atteindre Paris ! »

Ils arrivent à Bride-les-Bains. La lune éclaire la belle et douce nuit : « Où sera-t-on l'an prochain ? demande de Gaulle. Sont-ce là les dernières vacances heureuses ? »

Depuis le 4 juin 1936, la France vit sous le gouvernement de Front populaire présidé par Léon Blum, adversaire de l'armée de métier de Charles de Gaulle. Le 22 juin 1937, un peu plus d'un an après, Camille Chautemps remplace Blum. Il tombe à son tour le 13 mars 1938.

Ce sont les derniers mois de liberté d'esprit avant la rencontre, à Munich, les 29 et 30 septembre, du chancelier Hitler, flanqué de Mussolini, et de Chamberlain et Daladier, venus, au nom de la Grande-Bretagne et de la France, témoigner du désir de paix des démocraties. Un semestre de répit.

A Marseille, Dadelsen et Pompidou (sans doute encore imprégné de la liberté normalienne et volontiers farceur) achètent à la foire des masques grotesques du Führer et du Duce, et accueillent leurs autres camarades en faisant des saluts fascistes. « Il y avait près de son domicile, précise Pierre Guiral, un magasin d'attrapes. Il n'était pas le dernier à s'y servir [...]. Nous n'avons jamais rencontré un homme aussi peu nietzschéen. Dans une large mesure un homme du XVIIIᵉ siècle ! »

De fait, on a l'impression de danser sur un volcan. Que faire d'autre ? Il semble qu'il n'y ait aucune issue. Pompidou lit *Knock* de Jules Romains et *Marie-galante* de Jacques Deval. Tous deux avaient été à l'école, me semble-t-il, condisciples de Maurice Genevoix. « Il laissait entendre, dit encore Pierre Guiral, qu'il préparait une thèse sur Barbey d'Aurevilly. Je dois reconnaître que, l'ayant souvent surpris chez lui, je ne l'ai jamais trouvé en train de lire Barbey, d'amasser, de classer, de comparer des fiches. Au reste, un travail comme celui-là, où il fallait dépouiller la presse parisienne de manière exhaustive, se préparait mal à Marseille, surtout en un temps où la photocopie n'existait pas. »

On peut, certes, regretter qu'il n'y ait pas la moindre trace de ce travail sur Barbey pour autant que Pompidou s'y soit vraiment attelé. « Le choix ne manque pas d'étonner, observe justement Pierre Guiral. Comment expliquer que l'homme de raison, l'esprit modéré, l'habile qu'était Pompidou (cela écrit sans malveillance) se soit attaché à cet intempérant, à cet excessif, à ce flamboyant qui, dans un style superbe, fustige universitaires et libéraux ? »

☆

Quelques phrases de Barbey d'Aurevilly :

« L'égalité, cette chimère des vilains, n'existe vraiment qu'entre nobles. »

« Les crimes de l'extrême civilisation sont certainement plus féroces que ceux de l'extrême barbarie. »

« Les passions font moins de mal que l'ennui, car les passions tendent toujours à diminuer, tandis que l'ennui tend toujours à s'accroître. »

Et, enfin :

« J'ai parfois, dans ma vie, été bien malheureux mais je n'ai jamais quitté mes gants blancs. »

Le 30 septembre 1938, Georges Pompidou quitte le lycée Saint-Charles. Il demande à être affecté à Paris. S'attarde-t-il encore un peu à Marseille ?

Un mois plus tard, le 28 octobre, sur la Canebière, c'est la tragédie. Peut-être Georges Pompidou y a-t-il assisté. En effet, l'un de ses anciens élèves, le docteur J.-H. Couriol, nous précise dans sa lettre : « Pompidou a quitté son poste de Marseille, à la fin de l'année scolaire 1937. Il y est revenu néanmoins, à la rentrée suivante, faire des exposés tous les quinze jours, à la demande de notre professeur de français de terminale. » C'est donc peu après 14 heures, ce vendredi-là, que le feu prend aux *Nouvelles Galeries*, un vaste bâtiment quadrilatère que bordent quatre rues, dont la façade donne sur la Canebière. En dépit de l'intervention — tardive — de six grandes échelles, huit auto-pompes, dont deux de grande puissance, de quelque cent cinquante pompiers et d'un bateau-pompe, c'est soixante-dix personnes qui sont brûlées vives.

Édouard Daladier, président du Conseil, qui a réuni, précisément à Marseille, le 35ᵉ congrès du Parti radical, se rend sur les lieux et s'indigne : « C'est lamentable ! Il n'y a donc personne qui commande ici ? »

Édouard Herriot, président de la Chambre, également présent, téléphone à Lyon, dont il est le maire, pour demander à son commandant des pompiers d'envoyer des secours d'urgence.

Devant les congressistes, Georges Bonnet, ministre des Affaires étrangères, « après avoir exposé les récents événements, justifie l'accord de Munich et préconise la collaboration avec l'Allemagne et le renforcement de l'amitié avec l'Italie ».

☆

De Gaulle, au moment où Pompidou quitte Marseille, s'adresse encore à Paul Reynaud :

« Mon régiment est prêt, lui écrit-il, le 24 septembre 1938 ; quant à moi, je vois venir sans nulle surprise les plus grands événements de l'histoire de France et je suis assuré que vous êtes marqué pour y jouer un rôle prépondérant... Laissez-moi vous dire qu'en tout cas je serai — à moins d'être mort — résolu à vous servir, s'il vous plaît. »

Barbey d'Aurevilly n'est pas loin.

☆

Pompidou entre à Henri-IV et s'installe rue José-Maria-de-Heredia. Il retrouve à Paris Maillard, son camarade de Saint-Maixent, qui s'occupe à présent de la sélection classique Vaubourdelle chez Hachette. Maillard lui commande la préface et les notes de *Britannicus*. Sur la page de titre, on lit : « Présenté par Georges Pompidou, ancien élève de l'École normale supérieure, agrégé de lettres. » En face, les portraits de Racine et de Corneille avec cette phrase prémonitoire, tirée d'*Attila* (de Corneille) : « Un grand destin commence, un grand destin s'achève. »

Avec un sens consommé de la dramaturgie, Pompidou plante ses tréteaux et ses personnages. A la manière d'un reporter, il relate la séance du 13 décembre 1669 à l'hôtel de Bourgogne, jour de la création de la pièce : « La salle est clairsemée : il y a ce jour-là une exécution capitale en place de Grève et c'est un spectacle qui attire beaucoup de Parisiens. Dans une loge, tout seul, M. de Corneille. » Si l'on aime à solliciter l'Histoire, les idées et les mots conduisent à une comparaison, hasardeuse mais séduisante, entre les deux géants littéraires du XVIIe siècle et les deux présidents de la Ve République qui vont se succéder à la tête de la France. « D'un récit cornélien, écrit Pompidou, Racine fait un drame racinien ; d'un sujet politique, un drame privé. » Telle sera, plus tard, l'une des critiques féroces des ennemis du Premier ministre, devenu, à son tour, chef de l'État.

☆

De Gaulle se bat toujours pour son armée mécanisée. Le 22 octobre 1939, rompant un long silence épistolaire, il écrit à Paul Reynaud : « A mon avis, l'ennemi ne nous attaquera pas de longtemps. Son intérêt est de laisser "cuire dans son jus" notre armée, mobilisée et passive, en agissant ailleurs entre-temps. Puis, quand il nous jugera lassés, désorientés, mécontents de notre propre inertie, il prendra l'offensive contre nous, avec, *dans l'ordre moral et dans l'ordre matériel, de tout autres cartes que celles dont il dispose aujourd'hui.* » Et il ajoute : « Il n'y a rien de plus urgent ni de plus nécessaire que de galvaniser le peuple français au lieu de le bercer d'absurdes illusions de sécurité défensive. Il faut, dans les moindres délais possibles, nous mettre à même de faire une guerre "active" en nous dotant des seuls moyens qui vaillent pour cela : aviation, chars ultra-puissants organisés en grandes unités cuirassées. »

Georges Pompidou est mobilisé à Grasse, où son régiment est cantonné en réserve de l'armée des Alpes.

Le 26 janvier 1940, de Gaulle, qui ne renonce pas, rédige une « Étude sur l'avènement de la force mécanique ». Le texte commence par une observation prophétique — « Combien de guerres furent, à leur début, marquées par une surprise pour l'un ou l'autre des belligérants » — et s'achève en vision apocalyptique : « Ne nous y trompons pas ! Le conflit qui est commencé pourrait bien être le plus étendu, le plus complexe, le plus violent de tous ceux qui ravagèrent la terre [...]. Comme toujours, c'est du creuset des batailles que sortira l'ordre nouveau et il sera finalement rendu à chaque nation suivant les œuvres de ses armes. »

Le texte est adressé au président de la République (Albert Lebrun), au président du Conseil (Édouard Daladier), au général en chef (Maurice Gamelin) et à quatre-vingts personnalités des mondes militaire, politique et diplomatique, parmi lesquelles les généraux Weygand et Georges, et, bien entendu, Paul Reynaud.

Sans grandes illusions, de Gaulle écrit : « Mon mémorandum ne provoquera pas de secousses. Pourtant, les idées lancées et les preuves étalées finissaient par faire quelque effet. »

Notamment sur le *leader* socialiste, Léon Blum, dont Senghor, à l'instigation du jeune Pompidou, dévorait les éditoriaux dans *Le Populaire*, qui avoue : « C'est alors que j'appris et que je compris tout ! »

Le 21 mars, Paul Reynaud prend la tête du gouvernement à la place d'Édouard Daladier, qui devient ministre de la Guerre. Un corps expéditionnaire français a été envoyé en Norvège pour contrer l'offensive allemande sur ce pays. « La route du fer est et restera coupée ! » Le lieutenant Georges Pompidou se porte volontaire avec le 141ᵉ régiment d'infanterie alpine qui quitte la Côte d'Azur pour embarquer en Bretagne. « Nous avions avec nous, dit Pompidou, des cartes d'état-major qui, de Norvège, nous conduisaient jusqu'à la Prusse-Orientale. » Et il ajoute : « Or, le 10 mai [jour de l'attaque allemande] nous reçûmes l'ordre de faire mouvement vers l'est. Nous prîmes le train pour la Ruhr. Au bout de quelques heures, on apporta au colonel un papier ; nous devions débarquer au Bourget avec ordre d'être prêts à combattre immédiatement. Dire le choc que cela nous fit est inutile. » Le 141ᵉ est expédié en hâte sur la Somme.

A la mi-mai, de Gaulle, à qui l'on vient de confier la 4ᵉ division cuirassée, a installé son poste de commandement au Vésinet. Paul Huard, auteur d'un ouvrage intitulé *Le Colonel de Gaulle et les blindés*, rapporte comment le chef s'y prend, dès son arrivée, pour « secouer » ses officiers. Un chef de bataillon de chars, affecté comme sous-chef d'état-major, est reçu fraîchement : « Je ne veux pas de vous ; demain vous serez malade. » A un autre, il dit : « Je n'ai que faire de vos avis. Je vous donne des ordres ! » Et il lance le « complément à l'ordre d'opération n° 1 » dans lequel il stipule : « Conformément aux prescriptions de l'ordre d'opération n° 1, la 4e D.C.R. attaque demain, 17 mai, à 14 h 15. »

C'est le seul mouvement offensif français entrepris durant toute la ruée ennemie. De Gaulle transporte son poste de commandement à Bruyères, au sud-est de Laon.

☆

Jamais encore de Gaulle et Pompidou ne se sont trouvés plus proches l'un de l'autre. Tous deux sont au cœur de la fournaise. Le 141e régiment d'infanterie alpine, au prix de lourdes pertes, s'efforce vaillamment de retarder l'implacable avance allemande. A quelques dizaines de kilomètres de là, de Gaulle engage la bataille. Le généralissime Gamelin a proclamé : « Le mot d'ordre est de vaincre ou mourir. Nous devons vaincre. » Et de Gaulle : « Je lance mes chars en avant sitôt que paraît le jour. Culbutant sur leur route les éléments ennemis qui, déjà, envahissent le terrain, ils atteignent Montcornet [...]. Tout l'après-midi, les stukas, fondant du ciel et revenant sans cesse, bombardent en piqué nos chars et nos camions. Nous n'avons rien pour leur répondre. Enfin, des détachements mécaniques allemands, de plus en plus nombreux et actifs, escarmouchent sur nos arrières [...]. Enfants perdus à 30 kilomètres en avant de l'Aisne, il nous faut mettre un terme à une situation pour le moins aventurée. »

Le 141e fait retraite sans cesser de se battre et finit par atteindre Limoges, où le lieutenant Pompidou reçoit la croix de guerre en même temps que son régiment. « Notre dernier dispositif théorique de combat, indique Georges Pompidou, se situait sur la Gartempe chère à Jean Giraudoux. On devine que nous avions eu du mal à admettre et même à saisir ce qui arrivait. En ce qui me concerne, du jour où nous avions dû abandonner, la mort dans l'âme, le front de Ham, je m'étais fixé comme règle intérieure de ne tomber en aucun cas aux mains de l'ennemi. Peut-être était-ce plus facile à dire qu'à faire, mais telle était ma résolution. »

Le 19 mai, une cérémonie réunit à Notre-Dame de Paris Paul Reynaud, Daladier et le gouvernement au grand complet. On prie pour la France. On dirait que la liturgie des funérailles nationales déroule déjà ses orgues, ses cantiques et ses draps de deuil.

Le 6 juin, Reynaud annonce la composition de son gouvernement remanié. Il évince Daladier et prend directement la responsabilité de la Défense nationale et des Affaires étrangères. Charles de Gaulle est nommé sous-secrétaire d'État à la Guerre.

« En arrivant rue Saint-Dominique, écrit-il, je vis le président du Conseil. Il était, comme à son ordinaire, assuré, vif, incisif, prêt à écouter, prompt à juger. Il m'expliqua pourquoi il avait cru devoir, quelques jours plus tôt, embarquer dans son cabinet le maréchal Pétain, dont nous ne doutions, ni l'un ni l'autre, qu'il fût le paravent de ceux qui voulaient l'armistice.

— Mieux vaut, dit M. Paul Reynaud, employant la formule d'usage, l'avoir dedans que dehors.

— Je crains, lui dis-je, que vous n'ayez à changer d'avis. »

Partout, sur les routes de France, c'est la triste cohorte des réfugiés qui s'efforcent de fuir l'envahisseur et de gagner le sud de la Loire.

☆

Le 141ᵉ régiment d'infanterie est stationné à Nexon, au sud de Limoges. On est tout près de Bellac, cher à Giraudoux. « Les nations, a-t-il écrit, comme les hommes, meurent d'imperceptibles impolitesses. » C'est là, sans doute, que Pompidou entend parler de De Gaulle pour la première fois. Est-ce à l'occasion du remaniement ministériel du 6 juin, quand le nom du Général (il vient d'être nommé à ce grade *à titre temporaire* pour devenir ministre) paraît à la une de tous les journaux ? De Gaulle, par son attitude altière, ne s'est pas fait que des amis dans l'armée. Le colonel Manhès, qui commande le 141ᵉ, dit de lui qu'il est « un vaniteux à l'esprit faux ». Quant à Pompidou, il se borne à observer : « Le nom ne nous disait rien. »

En tout cas, c'est à Nexon qu'il entend le 17 juin, à 12 h 30, le maréchal Pétain annoncer à la radio : « Je me suis adressé cette nuit à l'adversaire pour lui demander s'il est prêt à rechercher avec moi, entre soldats, après la lutte et dans l'honneur, les moyens de mettre un terme aux hostilités. »

C'est, d'un coup, tout l'été qui vacille. « Voilà, écrit Giraudoux, à Bordeaux [...] la radio l'annonce, ils ont signé [...]. La foule écoute, s'arrête, pour la première fois s'arrête, car cette ronde sans fin sur cette place était encore la fuite, le mime de la fuite [...]. Ils s'arrêtent ceux qui continuaient ici à pied leur étrange voyage, ce vieillard venu de Lisieux dans une brouette, ce bossu venu de Vincennes sur un cheval de trot, ces bonnes sœurs venues d'Amiens sur un corbillard [...]. Pour la première fois, l'exode s'arrête. »

☆

Ils sont très peu nombreux, les Français qui ont entendu l'appel du 18 juin. De Gaulle ajoute : « Demain, comme aujourd'hui, je parlerai à la radio de Londres. »

Dans *Soldats du silence*, David Schoenbrun rapporte cette anecdote : « Le 18 juin, Geneviève de Gaulle, nièce du Général, se rendait dans la maison de famille de Bretagne, en compagnie de sa grand-mère, la mère de Charles. Agée de vingt ans, étudiante à l'université de Rennes [...]. Ce jour-là, sur la place du village breton, elle assiste à une scène extraordinaire : un curé sortit en courant d'un café et traversa la place tout excité. Un attroupement se forma autour de lui et il annonça : je viens d'entendre un jeune général français à la radio de Londres. Il dit que la flamme de la résistance ne doit pas s'éteindre. Oh ! Il est formidable ! Il s'appelle Gaule ou quelque chose comme ça [...]. Oui, c'est ça, il s'appelle de Gaulle ! Tout émue, ma grand-mère saisit le curé par les épaules en criant : "Mais c'est Charles ! C'est mon garçon ! C'est mon fils qui a dit cela !" »

Pompidou a dû ignorer l'appel, comme la très grande majorité des Français, comme Jacques Chaban-Delmas, qui déclare : « J'ai vécu le 18 juin de manière tellement médiocre au sein de mon bataillon alpin de forteresse, la rage au cœur, le rouge de la honte au front [...]. »

Pompidou se fait démobiliser et rentre à Paris retrouver sa femme et reprendre ses cours au lycée Henri-IV.

A la fin de l'acte I de *Britannicus*, il a posé cette question, presque impatiente :

« Mais que fait Néron derrière cette porte ? »

DEUXIÈME PARTIE

Auprès du Général

« La porte de Néron s'est ouverte, les [deux hommes] sont désormais en présence : l'action va se précipiter. »

Georges Pompidou
(commentaire sur l'acte I de *Britannicus*)

I

Un poste obscur
au cœur des affaires publiques

Si l'on excepte les milieux militaires, quelques hommes politiques de haut niveau et de rares écrivains ou critiques, comme André Bellessort et Daniel-Rops, qui accueillit de Gaulle à la Librairie Plon, les noms des deux futurs présidents de la Ve République sont inconnus du grand public jusqu'au 8 juin 1940, date de l'entrée du Général au gouvernement. Mais de Gaulle ne se déclare vraiment que quelques jours *après*, le 18.

La période 1940-1944 va de nouveau éloigner les deux hommes : de Gaulle est à Londres, puis à Alger ; Pompidou ne bouge plus de Paris. De Gaulle s'engage au point de se déclarer rebelle et de se voir condamné à mort par contumace ; Pompidou enseigne et se tait. « Les vaincus doivent se taire, comme les graines », a écrit Saint-Exupéry.

Pompidou dit n'avoir entendu prononcer le nom de De Gaulle qu'entre le 22 et le 23 juin ; il le retrouvera avant sa démobilisation quand il apprendra, par les journaux, la condamnation qui frappe le général « félon » et en marge de laquelle Pétain écrira en juin 1943 : « Il est évident que le jugement par contumace ne peut être que de principe. Il n'a jamais été dans ma pensée de lui donner une suite. » Pompidou écoute fréquemment la radio de Londres. A l'heure des informations en français, son ordonnance, Bicheron, l'appelle : « Mon lieutenant, c'est la Bibi ! » A son insu, il a failli croiser la route du Général lorsqu'il s'est engagé pour la Norvège. Au retour, le corps expéditionnaire français a relâché dans les ports britanniques. Là se sont séparés ceux qui avaient choisi de rentrer en France, et ceux, les moins nombreux, qui avaient décidé de continuer la lutte auprès du général de Gaulle.

☆

« J'ai gardé un souvenir particulièrement mauvais de juillet 1940, écrit Georges Pompidou. Nous étions en zone dite libre, menant la vie d'une unité en cantonnement, entourée de l'affection de la population civile à l'égard de soldats qui faisaient figure de survivants. La légende de l'armée vaincue par les politiciens commençait à se répandre fortement parmi les officiers. Notre colonel et son adjoint excellaient dans ce numéro qui m'exaspérait. Je n'entendais rien à la stratégie, j'ignorais tout des ouvrages militaires du général de Gaulle et des querelles de doctrines, mais je me rappelais amèrement les dissertations de Sissonne sur la supériorité de nos états-majors et l'incroyable ordre du jour du général Gamelin au 10 mai. Le rôle de nos chefs militaires dans la capitulation m'apparaissait clairement. Je me souviens d'un fait : un officier supérieur ayant dit que le gouvernement du maréchal Pétain allait enfin expulser de l'armée les officiers qui n'étaient pas nés français, j'éclatai : "Bien, cela nous débarrassera de Weygand !" Je ne sais si c'était juste, mais cela traduit mon état d'esprit et on imagine les réactions ! Je distinguais mal encore les possibilités du général de Gaulle, mais, dès cette époque, ses objectifs m'apparaissaient ceux de la France. »

C'est si vrai que, rentré à Paris après que sa femme l'eut miraculeusement retrouvé dans la Haute-Vienne, Georges Pompidou envisage un moment de rallier Londres. La santé déclinante de sa mère, qui décédera peu après, l'en dissuade.

« A Paris, écrit-il, en fait, nous nous jetions dans une souricière. »

☆

La souricière, c'est l'Occupation.

Dans ses *Mauvaises Pensées et autres*, Paul Valéry en donne, à son insu, la meilleure définition qui soit : « De ce qui occupe le plus, c'est de quoi l'on parle le moins. Ce qui est toujours dans l'esprit n'est presque jamais sur les lèvres. »

D'un mot, « souricière », Pompidou a bien qualifié la période. Elle se caractérise, immédiatement et violemment, par la présence, insupportable, des vainqueurs. Torse nu, casqués, ils sillonnent à moto les routes du solstice d'été, tels des personnages cinématographiques de Jean Cocteau. Les affiches de propagande, naïves et brutales, montrent un soldat de la Wehrmacht offrant en souriant une tartine de margarine à un enfant de France qu'il tient dans ses bras. Avec la légende : « Populations abandonnées, faites confiance au soldat allemand. »

Puis, dès l'armistice, c'est, avec l'installation des *Kommandantüre* en zone nord, tout le mode de vie qui change. Les lois viennent de Vichy, où l'État français commence à tout régenter ; les ordonnances, du haut commandement allemand en France. Une pluie de règlements transforme en quelques mois l'existence quotidienne. La ligne de démarcation est instituée qui coupe le territoire en deux. Les syndicats sont dissous et les premiers tickets de rationnement font leur apparition. Le couvre-feu est établi.

Paris vit donc sous l'éteignoir ennemi, et la France du Sud sous l'ordre nouveau. Les cibles sont désignées : d'abord les francs-maçons, puis, à l'automne, les juifs, qui se voient interdire l'exercice de la plupart des emplois dans la fonction publique et les postes de direction de la presse et de l'industrie.

Si l'on n'est visé par aucune de ces procédures d'exception, on peut vaquer sans trop de difficulté à ses occupations. La chasse aux denrées alimentaires puis, bientôt, au charbon et au textile commence à mobiliser les esprits. On fait la queue devant les magasins. On rentre tôt. Les bals et les rassemblements sont proscrits. On se doit d'être sérieux, travailleur et repenti. L'horreur absolue viendra par étapes, au fur et à mesure que le mythe de l'invincibilité allemande s'effritera et que le garrot de l'occupant se resserrera autour du cou des Français vaincus. Les premiers mois sont faussement paisibles.

« Cette année, écrit Georges Bernanos en 1941, ce sont les Allemands qui cueilleront les mirabelles dans les jardins de Domrémy. »

Il faut remonter très loin en arrière pour trouver la France sous une telle chape de plomb. « Je me refusais, dit Pompidou, à demander quoi que ce soit au gouvernement de Vichy, je me refusais à demander le moindre *Ausweis* aux autorités occupantes. Dès lors, j'étais à l'écart du mouvement qui commençait à naître à Lyon, à Vichy même. Je me trouvais cantonné dans notre petit appartement et dans mon lycée parisien, ne dissimulant pas mes opinions (qui étaient, me semble-t-il, celles de la grande majorité des Français) mais incapable de les traduire en acte. »

Il observe, en analysant l'ensemble de la situation : « Si l'on met à part en effet ceux qui — aviateurs, marins, habitants des côtes de la Manche, Français d'outre-mer — se sont trouvés en mesure de rejoindre Londres sans difficulté majeure, c'est en zone libre que la Résistance allait naître. Quel que fût le rôle de la police de Vichy, il n'était rien à côté du poids de l'occupation allemande. »

☆

Le 8 novembre 1942, les Alliés débarquent en Algérie et au Maroc. Aussitôt, la zone libre est occupée par les Allemands et les Italiens. La guerre entre dans sa phase décisive. De son côté, de Londres, de Gaulle réagit vigoureusement. S'il se réjouit du succès des Américains et des Anglais, il se défie de la présence, sur place, du général Giraud, récemment évadé d'Allemagne et qui, à Alger, semble avoir l'appui total des libérateurs. Le 12 novembre, de Gaulle adresse un télégramme à André Philip, son émissaire à Washington, avec la mention « Très secret » :

« Je vous demande de rentrer à Londres immédiatement. Je n'ai pris aucun contact avec Giraud, il n'en a pris aucun avec moi.

« De toute façon et quelque peu d'intérêt que j'attache à mon sort personnel, je ne trahirai pas ceux qui m'ont reconnu et je reste chef de la France combattante.

« Mon opinion est que la combinaison Giraud est sans avenir. »

☆

Le temps passe et, sur tous les fronts, maritimes, aériens et terrestres, la guerre fait rage. Le 17 janvier 1944, au plus sombre de la nuit allemande sur Paris, l'inspecteur général Desjardins rédige son rapport sur la classe de seconde du lycée Henri-IV, où Georges Pompidou enseigne le latin.

« Seconde A — Explication préparée de Pline le Jeune. Sur la mort d'une jeune fille de quatorze ans. Dans l'interprétation et la traduction de cette page d'une qualité délicate et souvent émouvante, M. Pompidou a guidé ses élèves avec une grande sûreté de main. Toutes ses réactions m'ont paru justes et fines, et à peine en ai-je regretté une ou deux, *non pas moins bonnes en soi, mais venues un peu trop tôt et inter-rompant le déroulement du sens.* »

Si de Gaulle avait eu connaissance de cette observation, elle lui serait certainement revenue en mémoire lors de la fameuse « histoire » de Rome... Quoi qu'il en soit, Pompidou analyse vite, allie, quand les éléments lui semblent rassemblés, l'acte à la parole. Et M. Desjardins de conclure : « Je ne doute pas que, sous la direction d'un excellent maître, les élèves ne fassent de rapides progrès. »

☆

Six mois plus tard, c'est le débarquement en Normandie. Le 24 août, Paris est libéré. Le surlendemain, le général de Gaulle descend les Champs-Élysées.

Pour ceux qui ont assumé leur tâche sur place, il semble venir d'une autre planète.

De Londres revient aussi l'un des membres de « la bande des autres » de Marseille, Dadelsen. Il propose à Pompidou de le rejoindre au ministère de l'Information. Émile Laffont, secrétaire général du ministère de l'Intérieur, le réclame à son tour. A cette époque troublée qui succède à la Libération, où se conjuguent les problèmes de ravitaillement, le retour à la légalité et les soubresauts de colère de l'épuration immédiate, le gouvernement provisoire de la République manque de préfets. On réclame du sang neuf, des hommes intacts et des caractères solides.

Georges Pompidou commence à s'impatienter dans son lycée. Il a pris conscience des enjeux historiques de l'heure et ne souhaite pas rester absent de la reconstruction du pays qui s'entreprend sous ses yeux. Le 11 septembre, trois semaines après l'entrée triomphale de la division Leclerc dans la capitale, il écrit à René Brouillet, son condisciple de Normale sup : « Mon cher ami, j'espérais un coup de téléphone de toi. Sans trop y compter. Je suis passé au CNR samedi, mais ne t'ai pas trouvé. Je compte chercher, aujourd'hui encore, à te voir et, si je n'y réussis pas, je te laisserai ce mot... J'ai cependant autre chose à te dire — plus exactement une demande à te faire : j'aimerais que tu me trouves quelque chose. Dans les circonstances actuelles, je me résigne mal à décliner *rosa la rose*. Il me semble que je puis faire, momentanément, autre chose. Non pour moi, tu sais que je n'ai pas d'ambition et ne demande rien d'important ni de lucratif. Mais ce pays aura besoin de tout le monde et je me sentirais diminué de ne rien faire.

« Tu connais mes opinions, ma conviction qu'il n'y a que par l'effort de tous, sans distinction de partis, que l'on peut espérer refaire une France. Si tu estimes que je puis tenir un emploi, pense à moi. »

☆

« Le mot porte est essentiel, écrivait le critique dramatique Lucien Dubech à propos de *Britannicus*. De même qu'on a pu dire que le vent était le personnage principal d'*Iphigénie*, on pourrait dire que la porte est le personnage principal de *Britannicus*... » Le 1er octobre 1944, la porte s'ouvre ; le général de Gaulle signe un arrêté qui stipule :

« *Article unique* : Monsieur Georges Pompidou, agrégé des lettres, est chargé de mission auprès du président du gouvernement provisoire de la République française. »

☆

Julien Gracq, autre condisciple de la rue d'Ulm, observe dans *Un beau ténébreux* : « L'intérêt est sans doute fort peu de chose pour mouvoir les hommes — mais leur instinct dramatique toujours en éveil, voilà un ressort auquel on **ne** fera presque jamais appel en vain. »

La France de l'automne 1944 sort à peine du long cauchemar de l'Occupation. Elle continue de se battre, grâce à la France libre née à Londres et consolidée en Afrique du Nord, mais, autour des ports de l'Atlantique, contournés par les Alliés, elle subit encore la présence militaire allemande. L'Est vit toujours sous sa menace. La France doit relever les ruines, nourrir les habitants, et, dans la mesure du possible, contenir les excès d'une « épuration » qui, dans certaines régions, comme le Limousin, Toulouse et le Midi languedocien, prend des allures de règlements de comptes.

Le 21 septembre, quelques jours à peine avant l'arrivée de Georges Pompidou à Matignon, de Gaulle écrivait à Maurice Schumann, qui avait participé avec la 2ᵉ DB au débarquement :

« Mon cher ami,

« Il faut que vous rentriez à Paris immédiatement. Vous devez rester notre porte-parole pour la France et pour le monde. Je vous le dis et je vous *le prescris* dans l'intérêt général. Venez donc tout de suite et reprenez le micro. Nous allons avoir dans trois jours un émetteur plus puissant dont la mise en service doit coïncider avec votre réapparition.

« Mes amitiés fidèles. »

Au moment où Pompidou fait son entrée à Matignon, le Général, président du gouvernement provisoire, est sur les routes. Il visite les départements les plus dévastés par le débarquement : la Seine-Maritime, l'Eure et le Calvados.

☆

Et Pompidou ? Il a trente-trois ans et vient de sauter le pas : le voici, d'un coup, installé au cœur d'un gouvernement provisoire dans une période de liesse libératoire et **de** conduite des affaires quasi insurrectionnelle. D'où cette observation : « Le véritable rôle de l'agrégation va au-delà des fonctions qui peuvent être dévolues aux agrégés. Car, en fin de compte, celui qui en a les capacités impose sa marque aux événements et trouve sa place quels que soient les titres qu'il a reçus. »

Ainsi que le note Pierre Rouanet : « Rue Saint-Dominique, Pompidou prépare des dossiers, non point pour de Gaulle, mais pour ceux qui parlent à de Gaulle. Il doit dégager le point important, le situer dans une note de synthèse. »

Même s'il ne *voit* pas le Général, qu'il a regardé passer le 25 août, au milieu de la foule, pendant sa descente des Champs-Élysées, ses travaux lui parviennent.

De Gaulle mesure, plus que quiconque, le caractère, encore précaire, de son pouvoir. Le 23 octobre, il adresse une lettre « circulaire » à ses ministres : « Je vous serais obligé de vouloir bien vous assurer que votre adresse per-sonnelle, postale et téléphonique, est connue de mon cabinet et du secrétariat général [...] il est indispensable que, dans chaque administration, soit maintenu, de jour et de nuit, le dimanche comme en semaine, un nombre de fonctionnaires suffisant pour assurer la continuité des services et parer à toute éventualité. »

Le 23 octobre, de Gaulle doit porter un intérêt particulier au fonctionnement de son gouvernement et à la façon dont il est perçu par la population. En tout cas, il a sous les yeux le premier travail important confié à son nouveau chargé de mission. Cette note a dû franchir les bureaux de René Brouil-let et de Gaston Palewski avant d'être présentée au chef de la France libérée.

« Ce que les Français de bonne foi attendent donc c'est que le gouvernement provisoire gouverne, ait un programme économique et social, le fasse connaître, mobilise la nation pour le réaliser, ait enfin une politique et des hommes pour la défendre qui, dans le cadre régional, départemental, et même local, feraient une chaîne entre le Général et chaque Français. »

Le Général croule sous les soucis. Si sa femme est venue le rejoindre, s'il a « dans l'ensemble » de bonnes nouvelles de tous les siens, « malheureusement, plusieurs d'entre eux continuent de souffrir de la captivité et de l'exil ». L'époque est rude. De toutes parts, les pressions assaillent le nouveau pouvoir, et, une fois les enthousiasmes et les délires de la Libération passés, les premières déconvenues s'accumulent. Une anecdote, toujours un peu exagérée comme tout ce qui commence à courir sur le Général, prétend restituer l'ambiance de Matignon, à l'époque. Geoffroy de Courcel, l'un de ses collaborateurs les plus proches, lui demande la permission de se rendre en fin de semaine sur la Côte avec sa femme et ses enfants, pour les installer dans la villa de famille, dont on vient de déminer les abords et qu'on a remise en état après le départ des Allemands. De Gaulle y consent, souhaite bonne route à Courcel, qui, le lendemain matin, très tôt, part en voiture vers la Méditerranée. Ils sont arrêtés avant Tournus par les gendarmes. Un avion militaire est là : le Général rappelle d'urgence Courcel à Paris. Il faut laisser la famille continuer le voyage, seule, et sauter dans l'appareil qui attend...

A la fin de la matinée, presque à l'heure habituelle, Geoffroy de Courcel frappe à la porte du Général, et, ce dernier, le voyant entrer, de l'accueillir, gaiement : « Alors, Courcel, ces vacances ? » Trop belle histoire pour être vraie ? Elle ne porte en tout cas pas la moindre ombre sur la considération que le Général porte à Geoffroy de Courcel.

Pour l'heure, de Gaulle corrige la copie de Pompidou. Il inscrit l'apostille que voici : « Ce que les Français de bonne foi attendent donc, c'est que la France d'aujourd'hui soit autre chose que ce qu'elle est, c'est-à-dire une nation gravement malade depuis longtemps, sans institution, sans administration efficiente, sans diplomatie, sans hiérarchie... et entièrement vide d'hommes de gouvernement. A cela, ni moi ni personne ne pourrons remédier en deux mois. C'est l'affaire d'un long et dur effort et d'au moins une génération. L'effort est commencé, nous verrons. »

Pour la première fois, par notes interposées, sans même s'être rencontrés, de Gaulle et Pompidou se sont trouvés face à face. Un assaut comme à l'entraînement, sans combat, mais, n'importe, les fers se sont croisés. Et Pompidou est ravi, il écrit : « Cet autographe me combla de joie. » Au même moment, il achève son appareil critique de la tragédie de Racine.

☆

« Ceux qui n'ont pas connu 1944, écrit Georges Pompidou, ne se rendent pas compte de cette espèce de mystère que provoquait cet homme qui, pour nous tous, avait été une sorte de héros pendant quatre ans, qu'on ne connaissait pas, de telle sorte qu'il était entré dans la légende avant même d'entrer dans notre histoire. C'était plus que de la révérence, c'était une espèce de majesté, presque le sentiment sacré qu'on avait quelqu'un qui symbolisait la France et qui se matérialisait devant nous pour la première fois. »

Un certain samedi après-midi, alors que le chargé de mission est de permanence, le Général appelle. Palewski et Brouillet sont absents. Pompidou, alerté, pénètre enfin dans le saint des saints. « Je suis entré sans aucune joie, plutôt avec une certaine crainte, dit-il, d'ailleurs justifiée. »

De Gaulle est mécontent. Pas précisément de Pompidou, mais de l'ensemble de ses collaborateurs, et il l'exprime de façon abrupte à celui qu'il a en face de lui. Pompidou écoute la semonce. C'est le baptême du feu. Un éclair dans un samedi qui sent l'orage. Une façon peut-être, pour le Général, d'« amariner » très vite la nouvelle recrue. Quand il sera amené à le voir plus souvent, Georges Pompidou modulera son jugement :

« De Gaulle m'est apparu, au contraire, écrit-il, très ouvert, bienveillant pour ceux dont il avait l'impression qu'ils faisaient de leur mieux pour travailler auprès de lui et servir le pays [...]. »

☆

Pierre Rouanet, dans son ouvrage, fournit une indication précieuse ; il écrit : « Puisqu'il lui est donné d'approcher un homme qui fabrique de l'histoire, Pompidou le scrute passionnément [...]. Il commence par une chose à laquelle bien peu d'autres collaborateurs du Général ont pensé [...]. Il lit ses œuvres dès qu'il peut s'en procurer un exemplaire : *Le Fil de l'épée* [...]. *La Discorde chez l'ennemi*. » Ajoutons-y *La France et son armée*.

Des phrases, dès lors, doivent bourdonner dans sa tête, comme autant de sentences. Au fond, c'est la première fois que la France, dans une période tragique de sa destinée, a, à sa tête, un homme d'écriture.

« Le caractère, vertu des temps difficiles. »

« La véritable école du commandement est la culture générale. »

« La France fut faite à coups d'épée. »

Et, dans *Le Fil de l'épée*, précisément, cette recommandation qui fournit la règle du jeu au chargé de mission néophyte : « L'autorité ne va pas sans prestige, ni le prestige sans l'éloignement. »

Il est vrai que la période est impitoyable. Pompidou ne doit-il pas, certain jour, calmer les femmes communistes qui réclament l'exécution immédiate du « traître Pétain » ? Une autre fois, il lui faut s'entremettre pour tenter d'épargner le poteau à Brasillach, celui qu'il connaît par cœur, celui des *Sept Couleurs* et de *Notre Avant-Guerre*. « Vainement ai-je tenté, il est vrai, écrit-il, de sauver Brasillach, par camaraderie et estime intellectuelle, car je savais pertinemment qu'il avait été un vrai collaborateur. »

Et, en parfait analyste d'une situation tragique qui l'atteint au plus profond de sa culture et de son exigence « jaurésienne » de liberté de pensée, conscient du conflit qui s'amorce entre les deux générations de l'après-guerre, il écrit : « Pour beaucoup de jeunes gens qui avaient répondu à l'appel du 18 juin, le contact avec la France était déconcertant : la plupart de leurs parents et amis, de tradition patriote et même "militariste", avaient été entraînés par le prestige du maréchal Pétain dans le sillage de Vichy. »

Signe des temps : le 18 novembre, de Gaulle écrit à Paul Claudel qui vient de lui adresser son *Ode au général*. Sait-il que le grand poète a, naguère, composé celle « au maréchal » ? Il le remercie de son « magnifique poème » qui, dit-il, l'a « beaucoup ému ». Puis il passe, sans s'attarder, à la France. « Je vois qu'après tant de secousses inouïes, elle retourne à la puissance. Mais il lui faut, maintenant, la sérénité. »

Pompidou n'est certes pas dupe. Évoquant ce fameux 25 août sur les Champs-Élysées dans l'exaltation de la délivrance, il observe : « Je ne pouvais m'empêcher de penser que les foules qui applaudissaient de Gaulle étaient les mêmes qui avaient applaudi Pétain au printemps de la même année. »

Pour ce qui est de Claudel, le siège de Pompidou est fait : « C'est une sorte d'auberge espagnole du XVIe siècle, pleine de confusion et de vacarme, où défile la terre entière : voyageurs avec leurs souvenirs, passants avec leurs passions, l'évêque et le mendiant, le roi et la sainte. » On peut, désormais, ajouter : le Maréchal, puis le Général.

Et Pompidou de conclure : « Claudel ! [...] Génie inégal qui ignore jusqu'à l'existence de la mesure. »

☆

De Gaulle se débat, avec hauteur, dans le maelström d'intrigues, d'ambitions et de violences qui submerge le territoire. Il a bravé les Alliés en faisant venir de l'est, pour la commémoration du 11 novembre, un régiment de reconnaissance et un gros bataillon d'infanterie. Dans son ordre, il a bien précisé : « Ceci avec ou *sans* l'accord des Américains », et : « La responsabilité personnelle des généraux de Lattre et Juin est engagée. »

Le 18 décembre, comme un brusque coup de gel et de neige, dans un pays qui se croyait à l'abri du cauchemar, c'est la contre-attaque de Rundstedt dans les Ardennes. De Gaulle mande au général Juin de l'informer, heure par heure, du déroulement de l'action et des pronostics du commandement interallié. Avec la réapparition des fantômes blancs de la Wehrmacht et des tanks hitlériens, les courages vacillent. A l'Assemblée consultative du 27 décembre, de Gaulle rappelle les jours sombres de l'armistice de 1940 et remet chacun à sa juste place : « Quant à moi et à quelques autres, nous pouvons nous dire que, dès le 17 juin 1940, nous avions pris nos dispositions *pour n'être pas à Vichy* le 10 juillet suivant. »

Et il ajoute, avec un rien de mépris : « C'était une conception comme une autre. »

☆

De son côté, Pompidou travaille. Avec la distance qu'il sait imposer, par tempérament et par formation, entre les choses et lui, mais avec un enthousiasme qu'il n'a pas toujours mis jusque-là dans ses concours universitaires. La proximité du pouvoir en vraie grandeur le fascine. Petit à petit, la mission de l'attaché de cabinet s'élargit : après les dossiers de l'Éducation nationale, lui échoit celui de la politique intérieure, dont est plus spécialement chargé René Brouillet. Il est donc, en liaison avec les préfets, confronté aux lancinants problèmes du ravitaillement et du rétablissement, épineux, de l'ordre public. « On saisit là, écrit-il, un des points les plus délicats de la vie du Cabinet en cette période confuse. »

☆

Le 9 janvier 1945, le Général consacre un peu de son temps à répondre aux auteurs de renom qui lui ont adressé leur livre. Il y excelle. Sans doute est-il le premier chef d'État de la France moderne à prendre en considération les écrivains et à leur marquer une telle estime. Cela tient, pour beaucoup, à l'importance que le verbe a eu dans sa difficile, puis fulgurante destinée. C'est par l'écriture, en temps de paix, qu'il s'est hissé une fois pour toutes au-dessus des autres officiers de sa génération. En passant, avant la guerre, de Berger-Levrault, spécialiste des ouvrages militaires, à la Librairie Plon de Maurice Bourdel et Daniel-Rops, il a changé de planète. Depuis *La France et son armée*, il habite le Parnasse. Aussi, sitôt le bout de l'an, il remercie Pierre Jean Jouve et Georges Duhamel pour leurs livres. Et, à Pierre Brisson, directeur du *Figaro*, qui lui a fait l'hommage de son *Racine*, il précise : « Racine me sera, grâce à vous, un refuge plus sûr et plus clair encore. »

Et de Gaulle termine sur cette phrase révélatrice : « C'est en ce sens que l'on peut dire qu'il n'y a pas, même pour un homme d'action, *une œuvre qui ne soit actuelle.* »

☆

« Le soir, écrit Georges Pompidou, on se retrouvait dans quelque restaurant spécialisé dans le gaullisme, on se montrait les "héros de Londres", Clostermann, Duperier, Cabanier et tant d'autres, et on repartait ivres de leur gloire dont un peu rejaillissait sur nous. Mes activités étaient l'Information et l'Éducation nationale. »

Le Normalien fait ses classes et, visiblement, il exulte : « Il y avait, qui nous unissait, une admiration sans limites pour le Général et *l'impression de vivre pour la France et pour sa résurrection. Je travaillais quinze heures par jour.* »

Sans jamais encore collaborer directement avec le Général, Pompidou, par l'entremise de Gaston Palewski, se voit convier à « l'honneur de participer à la réunion de cabinet du matin ». Il y fait ses premières remarques, ce qui lui vaut quelques entrefilets dans *Le Canard enchaîné*, qui a un œil sur lui. Il est à l'aise en ces lieux en compagnie de Burin des Roziers, Louis Vallon, Claude Mauriac, Geoffroy de Courcel, Jean Touchard, Charles-Henri de Lévis-Mirepoix, Jean Donnedieu de Vabres et quelques autres qui « sont venus de tous les coins de l'horizon social, politique ou religieux, parlent la même langue et partagent le même idéal ». Il y a même, au service de presse, Élisabeth de Miribel, qui a dactylographié l'appel du 18 juin. Mais comment ne pas remarquer que dans le saint des saints de la France libre, alors que la France est encore déchirée entre Résistance, Vichy et collaboration, Pompidou est *seul de son espèce* ?

Il vit intensément l'aventure insensée qu'une époque hors du commun lui a dévolue ; il « s'amarine » à la vie publique sans renoncer pour autant à son humour de normalien et d'enseignant :

« Parmi les corvées de représentation les plus redoutables quoique heureusement très brèves, écrit-il, figurait la réception des lettres de créance des ambassadeurs. Rien n'était jamais préparé à l'avance : quelques instants avant l'arrivée du chef du protocole en jaquette, une agitation fiévreuse s'emparait des bureaux. Un certain nombre d'huissiers et de gardes s'affairaient à enlever le mobilier de Gaston Palewski tandis que des émissaires variés parcouraient les différentes pièces à la recherche des membres du Cabinet en état vestimentaire permettant de faire de la figuration [...]. Il arrivait que l'un d'entre nous fût réduit à aller emprunter précipitamment une chemise au lieutenant Guy, officier d'ordonnance, qui avait sur place sa chambre, et par voie de conséquence, son linge. »

☆

Le 7 mai 1945 la capitulation inconditionnelle des forces allemandes est signée à Reims. De Gaulle télégraphie au général de Lattre de Tassigny qui la ratifiera, le lendemain, à Berlin, au quartier général soviétique : « Puisque, à Reims, Montgomery ne signait pas, il n'aurait pas convenu que vous fussiez derrière Bedell Smith. A tout prendre, je pense qu'il est mieux d'être le vainqueur que le signataire. »

☆

Pour Pompidou, l'heure d'approcher le grand homme autrement que pour recevoir une semonce collective finit par venir. Précisément en ce mois de janvier 1945. De Gaulle vient de rédiger une « directive au sujet du plan de défense de l'Indochine », portant la mention « Très secret ». Il n'en est pas moins préoccupé par la vie quotidienne des Français. Il fait très froid en France et le ravitaillement, qu'on croyait voir rétabli dès le débarquement allié, est encore très insuffisant. Pompidou accompagne le Général dans une tournée en banlieue parisienne. Entre eux le contact s'établit, direct, occasionnel, fructueux : « Dites-moi, Pompidou, lui demande le chef du gouvernement provisoire de la République, vous qui avez l'esprit clair et allez droit à l'essentiel... »

Pompidou s'y emploie. De Gaulle l'observe et apprécie.

« Il y avait enfin, parmi les besognes de représentation, écrit l'attaché de cabinet, de plus en plus adopté, les dîners à Neuilly chez le général de Gaulle. La figuration de ces dîners comprenait souvent un "ménage" du Cabinet, et les officiers d'ordonnance agençaient, avec une grande observation des convenances et des susceptibilités possibles, le "tour" des invitations. » Et Pompidou ajoute, avec une légitime satisfaction : « Mon ménage était, à mesure que le temps passait, de plus en plus favorisé. »

J'ai sous les yeux le carton qui prie M. et Mme Georges Pompidou de « faire l'honneur de venir dîner, le mardi 25 septembre 1945 à 20 h 30 » avec la mention : « R.S.V.P. officier d'ordonnance » suivie d'un numéro de téléphone. Ce n'est pas un dîner ordinaire. Pompidou le qualifiera de son « plus notable souvenir ».

« L'invité d'honneur était Léon Blum qu'accompagnaient sa femme, son fils et sa belle-fille. C'est ce soir-là que le Général informa Léon Blum de son désir de se retirer du pouvoir après la réunion de l'Assemblée constituante et proposa au leader socialiste d'être son successeur. Ce dernier refusa, prétextant son âge, sa fatigue, et suggéra le nom de Félix Gouin, l'"Attlee français" ».

André Malraux est présent ce même soir. L'œil brûlant, la mèche sombre, il observe tout. En gourmet de l'esprit, il

respire l'Histoire en train de se faire. Il note avec pertinence
« l'esprit juste » qui caractérise le chargé de mission. Mieux
que quiconque, avant les autres, le romancier de *L'Espoir*
sait, en regagnant son domicile ce soir-là, que la belle aventure révolutionnaire va prendre fin en France...

☆

De son côté, Georges Pompidou se trouve pris dans le
tourbillon. « Dès la réunion de l'Assemblée, écrit-il, on
s'aperçut que le climat de la Libération s'était détérioré. »
L'agitation est grande. Témoin ce télégramme du
19 novembre adressé au Général : « Avec vous depuis juin
1940, votre île qui était le quart de la France vous demande
de continuer à gouverner. » Signé : « Votre Ile de Sein
alarmée ».
Les événements sont en marche. « A quel moment de
Gaulle prit-il sa décision ? » s'interroge Pompidou. Et il en
convient. « Je ne l'ai pas su à l'époque. »
De Gaulle s'en va, laissant, selon son expression, « la
locomotive sur les rails ». La France se trouve ainsi délivrée
de son libérateur pour les uns, déconfite et quelque peu éper-
due pour les autres. Georges Pompidou quitte donc, beaucoup plus brusquement que prévu, le « poste obscur, au cœur
même des affaires publiques, où il lui était donné de tout
voir et de tout entendre ». La grande silhouette du Général
s'éloigne.
« De Gaulle, écrit Pompidou, m'était apparu comme un
être de légende, un héros mythique, un personnage hors du
commun [...], un homme au physique étrange, vêtu d'un uniforme de général de brigade en opérations, montant d'un pas
maladroit les marches conduisant à son bureau, en jetant
autour de lui un regard altier [...] chacun, sur son passage,
se figeait dans une sorte de garde-à-vous, mais en baissant

les yeux, comme pour ne pas voir celui qui ne devait pas être vu puisqu'il n'appartenait pas au monde des humains [...]. Pour moi, en tout cas, j'étais béat d'admiration, enivré à l'idée de participer modestement à l'action d'un surhomme. »

C'est fini, il n'est plus là.

Georges Pompidou était entré au cabinet du Général le 1ᵉʳ octobre 1944 ; de Gaulle abandonne le pouvoir le 20 janvier 1946. C'est en tout quinze mois et vingt jours que le Normalien aura passés auprès du Soldat. Dès le 21, c'est la débandade : « Le Général quittant le gouvernement, son cabinet devait se disperser. Aucun de ceux qui étaient là n'envisage évidemment de rester dans le cabinet de M. Félix Gouin. »

De Gaulle rentre à Colombey. Quelques semaines s'écoulent. Il confie à Claude Mauriac venu lui rendre visite : « Mais que peut-on attendre de petits pères Gouin ? Les démocraties n'attaquent pas, elles ne réagissent jamais devant le danger imminent de mort [...]. Si je peux, pour ma modeste part, jouer un rôle dans cet immense drame, c'est dégagé de toute entrave. Libre. Non compromis. Il fallait donc que je m'en aille, que je quitte ces médiocres combinaisons. »

N'a-t-il pas, naguère, écrit dans *Le Fil de l'épée* : « L'homme de caractère confère à l'action la noblesse ; sans lui morne tâche d'esclave, grâce à lui jeu divin du héros » ?

☆

A Paris, Gaston Palewski a réuni tous ses collaborateurs pour une ultime conversation. Nostalgique et déjà soucieux de poursuivre l'action entreprise auprès de celui que le « régime des partis » a réussi à écarter, Georges Pompidou prend congé le dernier. Et quand, à la fin de 1946, il lui écrit pour lui renouveler ses sentiments de fidélité inébranlable, de Gaulle lui répond le 22 janvier 1947 :

« Vos vœux m'ont beaucoup touché et je vous en remercie. Mais je peux vous dire, à cette occasion, combien profonde est mon estime pour vous.

« L'avenir ne nous appartient pas. Mais s'il s'y prête, sachez que je compte sur vous et avec une entière confiance. »

C'est le même « haut lieutenant-colonel » qui avait placé en épigraphe au *Fil de l'épée* cette phrase de Shakespeare : « La grandeur est un chemin vers quelque chose qu'on ne connaît pas ! »

II

Le temps du rassemblement

A l'automne 1945, Jean Donnedieu de Vabres, homme expérimenté, avait persuadé Georges Pompidou de poser sa candidature à un poste de maître des requêtes au Conseil d'État. « Cette idée ne me serait point venue, dit celui-ci, [...] mais j'étais touché de l'amitié et de l'estime dont elle témoignait et heureux de pouvoir entrer dans le premier corps de l'État. »

Après le départ du Général, et en attendant la nomination, Pompidou devient le collaborateur d'Henry Ingrand, jusque-là commissaire de la République en Auvergne, qui vient de prendre la charge de commissaire général au Tourisme. Cela revient pour Pompidou à passer de la traversée de l'Atlantique en solitaire au cabotage dans une mer intérieure. Tous les proches du Général ont éprouvé alors ce sentiment de vide et d'abandon. Pompidou n'y échappe pas, mais il est jeune, actif, pondéré et constant : « J'ai gardé un excellent souvenir du Tourisme », écrit-il.

On peut être tenté de rapprocher cet « interlude » (il va durer dix-huit mois) du séjour à Marseille du professeur Georges Pompidou. De nouveau, comme un professeur en exercice, Georges a des loisirs. A l'époque, nous dit l'un de ses anciens élèves, il avait exploré toute la Provence en sa compagnie. « Il aimait plus particulièrement Arles, la vallée des Baux, le pays d'Aix, Martigues et Cassis. Il adorait la soupe de poisson et la bouillabaisse. »

Depuis, la guerre est passée sur Marseille et sa région. Où est le temps de la Nova-quatre ou de la Celta-quatre (les correspondants divergent), la Renault achetée par Pompidou et qu'il avait baptisée Dalila après une collision avec une Salmson ? Adjoint au Tourisme, il parcourt tant bien que mal un pays ravagé et désorganisé par les destructions. Il revient dans le Val d'Enfer, aux portes de Saint-Rémy, et y encourage l'installation de Raymond Thuillier et la création de *L'Oustau de Beaumanière*. Un peu partout, à Paris comme en province, il organise expositions de prestige et manifestations mondaines. Le couronnement de ce travail sera l'inauguration, au musée Galliera, de l'exposition « Huit siècles de vie britannique à Paris » en présence de la princesse Élisabeth d'Angleterre.

L'ancien professeur de latin de Saint-Charles n'oublie pas ses amitiés marseillaises. Il correspond avec Louis Noell, qui fondera plus tard l'association de ses anciens élèves. Membre du cabinet du Général, il avait déjà correspondu avec lui, le 8 janvier 1946 exactement : « Mon cher ami, j'ai eu grand plaisir à avoir de vos nouvelles et votre lettre m'a singulièrement rajeuni puisque j'ai quitté Marseille depuis 1938. » Louis Noell lui annonce qu'il va « travailler avec M. Defferre ». Réponse de Pompidou : « Je n'ai pas encore eu l'occasion de le rencontrer personnellement, mais j'ai pu apprécier ses interventions à l'Assemblée consultative et je crois que vous avez là un "patron" à la fois très sympathique et de grand avenir. » Le temps où les ténors socialistes vont prendre les rênes n'est pas loin. Pompidou le sait, l'observe et a l'œil sur la partie. Chargé de mission d'un de Gaulle en instance de départ, il ajoute, avec humour : « Quant à moi, j'ai momentanément, tout au moins, renoncé à l'enseignement et par conséquent il me serait difficile de vous blâmer. »

Ces lettres apparemment anodines, conservées par ceux qui les reçoivent, documents que l'Histoire ne retient pas, en apprennent beaucoup sur l'état d'esprit de l'homme qui les a écrites librement, et les croyait éphémères. La correspondance est donc du 6, le Général va partir le 20, et son attaché de cabinet confie à un ancien élève : « J'ai *momentanément, tout au moins,* renoncé à l'enseignement. »

L'échange de lettres, commencé rue Saint-Dominique, se poursuit au commissariat général au Tourisme, qui est rattaché au ministère des Travaux publics et des Transports. Le 31 mai, Pompidou écrit à Louis Noell : « Je serai très heureux de vous voir à votre passage. Je suis au Tourisme comme vous l'indique ce papier. » Il récidive le 6 octobre : « N'hésitez pas à faire appel à moi quand il y aura lieu. » En l'espace de quelques mois, le chargé de mission a assimilé les manières de table du milieu politique. L'héritage paternel, l'enracinement auvergnat, la formation universitaire et, enfin, la prestigieuse présence — même furtive — du Général, l'ont conduit à naviguer, avec un parfait naturel, dans les eaux du pouvoir administratif. Jaurès, le maître à penser de son adolescence, qui écrivait : « En France, on fait sa première communion pour en finir avec la religion, on prend son baccalauréat pour en finir avec les études, et on se marie pour en finir avec l'amour », aurait pu ajouter « et on entre en politique pour en finir avec la naïveté ». Maintenant, Pompidou *sait.* De Gaulle lui a fait toucher du doigt le rôle néfaste de l'action publique lorsqu'on la considère trop sous l'angle des intérêts immédiats et des combinaisons partisanes. Parlant de M. Legorgeu, ancien sénateur et maire radical de Brest, doyen des parlementaires, auquel le Général avait, au tout dernier moment, révélé sa décision de refuser le retour au régime de 1939, il observe : « Quelques années plus tard, le même homme, repris par son parti et par les vieilles habitudes, devait condamner non seulement le R.P.F. créé par de Gaulle, mais, rétrospectivement, le départ du Général. Ainsi va des Français : difficiles à gouverner, mais plus difficiles encore à reconquérir quand on les a une fois abandonnés à eux-mêmes. »

☆

Georges Pompidou vient d'être nommé maître des requêtes au Conseil d'État. En y arrivant, il observe qu'il n'a aucune expérience juridique mais ne s'en tourmente guère : « Cela pouvait s'apprendre, et donc, je l'ai appris. » De fait, il y est très vite reconnu, et, pour sa part, apprécie l'esprit élitiste et quelque peu byzantin propre à l'institution, que nul, estime-t-il, « n'est capable [d']expliquer ou de [...] décrire tant qu'il n'a point lui-même passé les portes du Palais-Royal ».

☆

Et de Gaulle ?

Exilé volontaire à Colombey, il a sans doute espéré, durant de longues semaines, qu'on allait le rappeler, puis il a bien fallu constater qu'en dépit des difficultés en tout genre qu'ils rencontraient ses successeurs se passaient de lui. Il confie à Paul Hutin-Desgrées venu lui rendre visite : « L'homme providentiel, c'est beau, mais c'est fatigant ! Je suis détaché de tout ! »

Mais la France lui manque. Il n'en finit pas d'arpenter le jardin de la Boisserie. Faute de pouvoir intervenir dans le destin de la patrie, qui, à ses yeux, se délite, il finit par se laisser convaincre de créer, non un parti — l'idée lui répugne —, mais un mouvement. Le 14 juillet 1946, il reçoit Claude Mauriac : « Je ne puis être l'homme d'un parti, lui dit-il, la France ne comprendrait pas. La France ne le voudrait pas. Je suis, pour les Français, un homme qui appartient à la nation. »

A André Astoux, il explique : « Alors, il y a l'essentiel, notre position vis-à-vis des événements et les solutions que nous préconisons. D'abord, nous ne devons jamais nous présenter comme des désespérés. Nous croyons en la France. Nous ne renonçons pas. Nous savons bien que le danger est grand, que la France est en mauvais état, mais nous affirmons qu'elle peut s'en tirer et c'est vrai ! »

Ce sont les mêmes accents que ceux qu'il a eus, avant la guerre, pour tenter de persuader les hommes politiques influents de la nécessité, impérieuse, d'une armée motorisée. Ses fidèles, recasés tant bien que mal dans des organismes divers, l'incitent, pour la plupart, à déclencher une opération de reconquête. Au fond de lui-même, le Général n'y croit guère. Dans les notes qu'il avait réunies en 1924 figure une remarque qui explique sa réticence : « Pas de grand spectacle public, écrit-il, sinon militaire. Ôtez l'armée des manifestations nationales, il n'y a plus rien que du grotesque et du tumulte. »

Il finit toutefois par sauter le pas et, le 7 avril 1947, place de Broglie à Strasbourg, il annonce devant la foule la création du Rassemblement du peuple français, le R.P.F. « Si rude que soit notre route, déclare-t-il, il serait indigne de nous et mortellement dangereux de la suivre d'un pas tremblant. Les esclaves peuvent gémir, les faibles s'épouvanter. Mais nous, nous sommes des hommes et des femmes libres, capables de voir les choses telles qu'elles sont. »

La machine est lancée. De Gaulle répand la bonne parole aux quatre coins du pays, comme un semeur ensemence. Le 27 juillet, à Saint-Marcel, il rameute ses compagnons : « A l'origine de chaque grande entreprise, il y a toujours la foi et l'action d'une élite. Pour tirer la patrie de l'abîme, vous fûtes cette élite volontaire, vous, mes camarades des jours qui semblaient désespérés. Étant montés aussi haut, ne vous étonnez pas, maintenant, des bassesses du présent. Une fois le but atteint et le pays sauvé, il était trop humain que la vague de la médiocrité déferlât sur notre œuvre [...]. Cependant, restez fermes et droits et regardez l'avenir en face ! De lourds nuages pourraient reparaître à l'horizon de la France ! »

☆

Durant cette période, Pompidou n'est convoqué qu'une fois ou deux par le Général, lors de ses passages, toujours brefs, à Paris. En revanche, il se rend souvent dans un appartement de la rue de l'Université où se réunissent des hommes aux expériences aussi diverses que Jacques Foccart, Michel Debré ou Raymond Aron. Le lien avec la famille venue de Londres ne se distend pas. Le fait vaut d'être souligné. Un an et demi dans un cabinet ne prédispose pas d'ordinaire à appartenir définitivement « au cercle du petit groupe si réduit des premiers jours », selon les mots de Gaston Palewski. C'est pourtant le cas pour Pompidou.

A quoi le doit-il ? « Sachez que je compte sur vous », lui avait dit le Général dans sa lettre du 27 novembre. En la lui remettant, Claude Guy, qui avait suivi de Gaulle à Colombey, avait pris soin de l'avertir : « Voilà une lettre comme presque personne n'en a reçu. »

C'est sûr : le Général a l'œil sur le Normalien. Et il ne lui déplaît pas, dans sa retraite, d'imaginer son retour dans l'équipe qui gravite autour du Rassemblement du peuple français. Gaston Palewski a créé une sorte de comité de réflexion chargé d'étudier, à l'intention du « Grand Charles », les problèmes de l'heure et de préparer les réformes à accomplir lors du retour aux affaires. Palewski offre à Pompidou de prendre le secrétariat général de ce comité. Premier incident : on propose à l'ancien attaché de cabinet une rémunération. « Je refusai, dit Pompidou, en précisant que j'entendais garder à mon concours un caractère désintéressé. » Réaction de Louis Vallon tout à fait surprenante : « Alors, quoi, Pompidou, vous avez peur de vous engager ? »

Pompidou finit par faire prévaloir son point de vue, et s'installe 5, rue de Solferino, où il abrite Claude Mauriac et Jacques Foccart, plus particulièrement chargé de l'Union française. « J'y passai la plus grande partie de mon temps, écrit-il, y compris pour la rédaction de mes rapports au Conseil d'État. »

☆

« L'action va se précipiter » écrivait Georges Pompidou au début du deuxième acte de *Britannicus*.

Premier signe : un jour de printemps 1948, à Compiègne, à l'occasion d'une réunion de propagande du R.P.F. où de Gaulle s'apprête à prendre la parole, « je tombai sur Vallon, écrit Pompidou, qui se promenait entre deux jolies femmes, Brigitte Friang et Pat Héron, et qui me présenta à elles comme "le prochain chef de cabinet du Général". J'en fus, sur le moment, abasourdi. Mais les faits ne devaient pas tarder à lui donner raison. »

La date clé, c'est le 23 avril 1948. « Fêtes de Saint-Georges », précise Pompidou. Convoqué rue de Solferino, le Normalien s'entend dire par le Soldat qu'il a l'intention de faire de lui son chef de cabinet. « Pour de Gaulle, écrit Pompidou, ce poste devait rester en marge du R.P.F. Le chef de cabinet était lié à la personne même du Général, et, par là, destiné à établir ou garder les contacts avec le monde politique en dehors du Rassemblement, comme avec le monde administratif ou économique. »

On le voit : un chemin immense a été parcouru depuis la première nomination, à l'aveugle et sur la recommandation d'un tiers, en l'espèce René Brouillet. Cette fois, de Gaulle sait pertinemment *qui* il choisit. Or, le Rassemblement, c'est la façade de la maison, ce qui se voit de l'extérieur et qui a mission de mobiliser la volonté populaire. Le cabinet, c'est l'outil de reconquête par excellence. Le Général évite de placer à sa tête un vieux fidèle des années sombres, un grognard de l'aventure de 1940 : il désigne un jeune, vierge de toute appartenance.

« J'en acceptai le principe, rapporte Pompidou, et le Général me dit que si j'acceptais définitivement il verrait M. Cassin, vice-président du Conseil d'État, pour que, de ce côté-là, je n'aie point de difficultés. »

L'annonce de l'arrivée de Georges Pompidou au cabinet « privé » de De Gaulle ne va pas sans provoquer des remous. D'abord, il y a Claude Guy, qui devra renoncer à une partie des prérogatives qui sont les siennes depuis janvier 1946. Visiblement, il s'y attend et, à tout prendre, il confie au nouveau venu qu'il préfère que ce soit lui plutôt qu'un autre. Le soir même de l'entretien avec le Général, Pompidou convient avec Guy de lui laisser « une part de son rôle antérieur ». Ce n'est pas sans arrière-pensée. Le 12 mai, au cours d'un second entretien, de Gaulle revient sur un certain Trotobas. On l'appelait ainsi dans la clandestinité. De son vrai nom, c'est Thibaud, normalien lui aussi, émigré à Londres et collaborateur de Jacques Soustelle, devenu depuis secrétaire général du Rassemblement. Mais Pompidou a décidé de garder de sages distances avec le mouvement officiel du gaullisme afin d'avoir les coudées franches... Thibaud, étant donné son activité antérieure dans les services secrets auprès de Soustelle, pourrait passer pour l'œil du Rassemblement sur l'ermite de Colombey. Là-bas, de Gaulle rumine : le R.P.F. est, certes, une émanation directe de sa volonté, mais tout corps constitué qui n'est pas militaire et n'a pas un objectif précis l'indispose.

Ainsi, pour des raisons différentes, il semble que de Gaulle et son tout neuf chef de cabinet aient eu la même prévention à l'égard du Rassemblement. Pompidou fut d'ailleurs encouragé dans cette voie, et de façon quasi officielle, par René Cassin : « Le vice-président du Conseil d'État me demanda d'être discret dans mon action, écrit-il. Cela correspondait à sa prudence, à mes intentions, à mon tempérament. »

De son côté, Thibaud, rencontré à un déjeuner de normaliens et dont la candidature était restée sans suite, n'hésitera pas à prévenir le nouvel élu : « Tu n'es pas bien vu de tout le monde rue de Solferino. Il y a deux camps : certains se demandent, déjà, s'il faut te tuer tout de suite, les autres pensent qu'il faut le faire plus tard. »

Quand on s'engage dans une aventure de proximité et de responsabilité auprès d'un personnage d'exception, ce sont certes des phrases encourageantes : elles prouvent, à tout le moins, qu'on s'est placé, d'instinct et de raison, dans le droit fil des événements...

☆

Quel que soit le souffle que lui apportent le Général et les concours, nombreux et passionnés, de ses fidèles, le R.P.F. trouve difficilement sa place dans le paysage politique français. Pour les uns, c'est un parti comme les autres, et ils comprennent mal que de Gaulle en ait créé un après les avoir tous vilipendés. Pour les autres, ce mouvement au service exclusif d'un chef vénéré aura toujours, quoi qu'on fasse, des relents de ligue factieuse. Le Général ne manque aucune occasion de le rappeler à son entourage : « Combien de fois faudra-t-il répéter que nous sommes différents des autres ? Vous vous croyez au Parti radical ! »

Ressentant pour la première fois les tyrannies de son âge, de Gaulle court pourtant les routes, revêt son uniforme fétiche, harangue des foules enthousiastes. Il va vers la soixantaine, date charnière si l'on en croit cette note, curieuse, qu'il a consignée en 1924 :

« De 40 à 50 ans : la garde-robe bien garnie, les cuisines fines, les amours de qualité.

« De 50 à 60 ans : les secrétaires actifs, les larges dépenses, les amples commodités.

« *Après : la quiétude des loisirs, les honneurs reçus, les médecins habiles.* »

Je me souviens du discours de Bordeaux, prononcé devant le monument des Girondins en présence de Jacques Chaban-Delmas, maire R.P.F. de la ville. A la relecture, il m'apparaît crépusculaire. D'emblée, de Gaulle donne le ton : « Le siècle est dur. Depuis dix ans, jamais je n'ai dit aux Français : "Bonnes gens, dormez en paix !" Je ne le dirai pas aujourd'hui. Pourtant, si la France pouvait se reposer, je ne troublerais pas le soporifique refrain dont certains voudraient l'endormir. Je les laisserais chanter à la nation leur berceuse sans amour. Mais le trouble est partout. Le péril rôde. Il faut que la France veille et marche. »

Alentour, au ciel politique, les nuages s'amoncellent.

☆

Pompidou peut s'enorgueillir d'une vertu bien mal partagée : savoir s'engager réellement sans avoir besoin d'afficher ses convictions militantes. Il est par ailleurs conscient de la difficulté du combat à mener pour les gaullistes, dans une conjoncture défavorable. Lui-même se sent entouré de « barons », dont les noms sonnent comme autant de maréchaux d'Empire : Malraux, Chaban, Soustelle, Frey, Vallon, Fouchet, Palewski, Capitant, Debré ou Foccart. Jean Ferniot analyse ainsi la situation de l'époque : « Des tendances travaillent le gaullisme qui se met à avoir sa gauche, son centre et sa droite. Pour éviter la dispersion, les conflits, les risques de rupture, il faut une main caressante qui sache refermer et serrer. »

Pompidou s'est donné pour mission d'être cette main. Il prend soin, parallèlement à ses activités déjà nombreuses, de s'aérer l'esprit. Depuis 1947, il s'est replongé dans l'univers de l'enseignement en occupant les fonctions de maître de conférences à l'Institut d'études politiques de Paris, où il partage, deux années durant, avec Bernard Chenot, autre membre du Conseil d'État, la responsabilité de la conférence d'année préparatoire.

De son côté, de Gaulle a commencé à lui confier la gestion financière de la Fondation Anne-de-Gaulle, du nom de la petite fille, née à Trèves en 1928, qui n'est pas tout à fait comme les autres. Mieux, il l'a chargé d'en rédiger les statuts et d'en assumer le secrétariat général. Autant de signes qui ne trompent pas. L'œuvre est l'un des soucis constants du Général et de Mme de Gaulle ; la placer sous la responsabilité de Georges c'est lui manifester, pour la première fois, au-delà de son poste officiel, *une confiance privée*. Celle-ci se manifeste à nouveau lorsque le Général lui remet en 1952 l'un des exemplaires numéro un de son testament.

Le R.P.F. prépare les élections générales. Il est même, un instant, question d'une candidature du Général. De Gaulle y met bon ordre : « Vous me voyez, Soustelle, mettre mon chapeau dans ma petite armoire au vestiaire du Palais-Bourbon ? »

Après l'immense succès du mouvement aux municipales, on a caressé le rêve de voir de nouveau de Gaulle diriger le pays. Puis l'enthousiasme est retombé. Le Rassemblement a fait son entrée à l'Assemblée. Le jeu tant condamné et si stérile de gouvernements renversés à peine investis se poursuit sans relâche. La désillusion grandit partout et les élus gaullistes n'ont plus, sur les bancs de l'Assemblée nationale, la cohésion de Londres ou des premières heures du R.P.F. Le 6 mai 1953, de Gaulle leur rend leur liberté. C'est dire clairement qu'il ne s'appuie plus sur eux. Est-ce si nouveau ? A André Astoux, il dit sans ambages : « Le R.P.F. n'est plus l'espérance. Or, le recours doit être d'abord l'espérance. Certains ont pu envisager la solution qui consiste à tout supprimer. Le général de Gaulle se retirant à Colombey. Toujours en réserve bien sûr. Mais que valent les réserves non entraînées et déçues ? Les hommes que nous avons engagés et tous ceux qui ne demanderont qu'à l'être, au fur et à mesure de leur prise de conscience, ne viendront pas à nous si nous sommes d'abord *le néant* ! »

Mais le mot le plus cruel est rapporté par Pierre Lefranc. A Jacques Foccart qui, avec une conscience admirable, assurait la liquidation du mouvement, de Gaulle lance, en 1954 : « Quand cesserez-vous de m'ennuyer avec *votre* R.P.F. ? »

A nouveau, la porte se ferme. De Gaulle retourne au silence. Et le vide est plus immense encore que la première fois.

☆

Et Pompidou ?

Au fil des mois, son activité s'est diversifiée. Pour lui, la partie n'est pas la même que pour les compagnons des premiers jours, dont le destin est inséparable de celui du Général. La plupart de ceux qui s'éloignent trop de lui, lorsque l'autorisation leur en est donnée, ne tardent pas à en éprouver le contrecoup électoral.

Pompidou, lui, se sait sur le fil du rasoir. Sa présence auprès du Général, bien que discrète et un peu particulière, lui ferme tout espoir de promotion sérieuse au sein d'une administration prête à voir en lui un factieux en puissance. Dans l'aventure du R.P.F., il s'est sans bruit appliqué à préserver le Général d'une éventuelle déconfiture parlementaire. Maintenant qu'il l'a vu vivre de près, il est convaincu que « Charles de Gaulle est, pour l'heure, le guide naturel et incontesté, la personnalité la plus forte, la plus haute, la plus indépendante et la plus lucide qui puisse être à la tête de l'État ». En foi de quoi, appelé en consultation à Colombey avec Soustelle, à quelques jours du retrait du Général, Pompidou s'est fait l'avocat du renoncement provisoire et de la poursuite ultérieure du combat, mais sous une autre forme.

Le 6 mai 1955, c'est lui qui est chargé de communiquer la décision du Général. Elle tient en une courte phrase d'éloignement et *d'espoir* : « Voici venir la faillite des illusions. Il faut préparer le recours. »

Plus rudement encore qu'elle ne l'a été sept ans plus tôt, la porte se referme.

☆

« La faillite des illusions » est consommée. Pompidou, qui n'a jamais autant fréquenté de Gaulle que durant cette période, a noté dans ses carnets les confidences qui lui avaient été faites. « La machine a tout bouleversé. Durant des sièces, chacun est né et a exercé à la place où il se trouvait. Il y avait des ambitieux, bien sûr, mais, dans l'ensemble, on acceptait. Maintenant, la machine bouleverse le monde périodiquement et constamment. Personne n'est content de son sort, pas plus M. Boussac que le lampiste. C'est un tracassin universel, le marxisme lui-même n'est qu'un vulgaire champignon poussé sur la machine [...].

Comment gouverner ? Comment obtenir que les gens pensent à autre chose qu'à revendiquer ? »

Cette fois, Pompidou accède, de façon permanente, au saint des saints. Régulièrement, il rédige pour le Général les mêmes notes de synthèse qui avaient déjà, au cabinet de la rue Saint-Dominique, attiré sur lui l'attention du chef du gouvernement provisoire. L'illustre personnage auprès de qui il travaille le fascine. Un jour, il se risque à lui demander : « Mon général, à quelle heure, quel jour, avez-vous résolu d'être l'homme du 18 juin ? » Ce qui lui vaut cette réponse superbe : « Depuis toujours. »

Le soleil de la gloire brille immanquablement là où le Général se trouve. L'inaction, la combinaison politique menée par ses fidèles, la *comparaison* avec les autres joueurs de la grande et pitoyable partie où la France est engagée, l'insupportent. En octobre 1953, il confie à Louis Terrenoire, alors secrétaire général d'un R.P.F. en perdition : « Il faut que je vous dise, à vous, la vérité. La vérité c'est que si, en 1946, j'ai refusé d'être ligoté par les partis, je ne veux pas l'être, aujourd'hui, par le R.P.F. »

La mélancolie revient le visiter comme chaque fois qu'il lui faut s'éloigner de la fréquentation de la France. Une tristesse d'amant du théâtre classique. De nouveau, Racine rôde. Cela le conduit, souvent, à remonter dans le passé. La mort de Pétain a réveillé de vieux souvenirs. Il regrette à présent que le vieux Maréchal n'ait pas pu terminer ses jours dans sa maison de la Côte d'Azur. C'est trop tard. Il l'avait évoqué dans son discours aux Girondins : « Dans la tempête, la raison d'État a exigé la rigueur des châtiments. Aujourd'hui, elle commande la générosité [...]. Plus tard, l'Histoire éclaircira les intentions. En fin de compte, Dieu jugera toutes les âmes. »

Le crépuscule descend sur Colombey-les-Deux-Églises.

☆

De son côté, Pompidou n'a pas seulement approfondi et consolidé ses rapports avec le Général, il a acquis également la confiance de Mme de Gaulle. En juillet 1953, au moment où le R.P.F. s'enlise, elle lui écrit pour le remercier de la façon dont il résout les problèmes financiers de la Fondation Anne-de-Gaulle. « Nos bonnes sœurs, lui dit-elle, avec ironie, vont sans doute se trouver satisfaites pour quelque temps, mais je ne suis pas si sûre que cela que le bon Dieu exige tant pour lui ! » Elle lui exprime sa gratitude « pour l'aide précieuse qu'il continue de donner à la Fondation ».

Gaston Palewski, aux moments difficiles du Rassemblement, fait part à Pompidou du réconfort qu'il éprouve à le savoir si proche du Général : « Comme moi vous savez à quel point il est nécessaire d'être autour de lui, combien il mérite, et surtout combien, plus que tout autre, il requiert des conseillers désintéressés [...]. Grâce à vous, j'ai le soulagement immense de n'avoir à me battre que contre les adversaires parce que les arrières sont gardés. »

Pompidou n'en néglige pas pour autant les vieilles relations de sa carrière d'enseignant. En 1949, il prend le temps de féliciter son correspondant de Marseille, Louis Noell, de s'être inscrit au barreau. Le 7 juin 1951, dans une autre lettre, il l'invite à venir le voir et indique : « Nous parlerons du résultat des élections, qui sera, j'en suis convaincu, tout à fait brillant pour le R.P.F. »

Mais la vraie rencontre, c'est Malraux. Au cours d'un déjeuner, l'écrivain analyse devant lui, à sa façon, la personnalité du Général. « Il n'a pas de popularité mais un immense prestige. Même à Marseille, Marius, quand il prend le pastis, sent, s'il écoute le Général, qu'il participe à l'histoire de France. La seule porte de sortie pour les communistes, c'est d'effacer l'idée que de Gaulle incarne l'honneur français. »

Mais, au-delà de la boutade, Malraux, traversé de nuées et prédicateur de la grandeur éternelle de la France, a ébranlé, chez Pompidou, les anciennes attirances jaurésiennes. Ébranlé seulement, car l'enfant de Montboudif reste fidèle au souvenir de *Moussu* Jaurès. Dans une allocution prononcée au cours de l'hiver 1948 à la salle Pleyel, l'auteur de *L'Espoir*, bousculant lui-même ses vieilles idoles, s'était exclamé en martelant ses mots : « Non, il n'est pas vrai, comme le croient les Hugo et les Jaurès, que l'homme devienne plus homme en devenant moins français... Pour le meilleur et pour le pire, nous sommes liés à la patrie... »

Pompidou a vécu quelques années à côté du feu. Il l'a vu s'éteindre, mais il sait, pertinemment, que la flamme est impérissable et qu'elle renaîtra. Une dimension nouvelle l'habite. L'épique fait désormais partie intégrante de sa destinée.

☆

C'est aussi le sens de la phrase que de Gaulle inscrit au bas de la photographie qu'il lui fait tenir, le *18 juin* 1954 (la date n'est pas accidentelle) : « A Georges Pompidou, mon collaborateur depuis dix ans, mon *compagnon*, mon ami, pour toujours. »

III

L'intermède Rothschild

On ne fréquente pas la grandeur impunément. Tous ceux qui ont approché de Gaulle, l'ont servi ou ont essayé de s'en servir, ont, à un moment ou à un autre, succombé — et cela s'explique — à la tentation de noter les phrases essentielles qu'il a prononcées devant eux.

Georges Pompidou l'a fait durant la période du R.P.F., mais davantage comme un peintre qui travaille sur le motif que comme un homme préoccupé de sa carrière politique et soucieux de pouvoir, quand le moment sera favorable, s'en réclamer. C'est le Normalien qui regarde le Soldat.

« Je donne à ce récit, écrit-il, dans *Pour rétablir une vérité*, la forme de notes, me bornant, sauf exception, à rapporter les réflexions du général de Gaulle dans ses conversations avec moi. » Il précise que, exception faite de rendez-vous ponctuels avec Jacques Soustelle à propos du Rassemblement et de quelques « entretiens passionnants avec Malraux », de Gaulle le voyait, à plusieurs reprises chaque jour qu'il passait à Paris.

Ces notes, classées par ordre chronologique, retracent le chemin qui, de la création du R.P.F., conduit à sa dissolution. Elles nous font, en quelque sorte, assister en direct à l'élargissement de l'intimité entre les deux hommes. Pompidou recueille les confidences des moments d'amertume, les visions fulgurantes et les diatribes contre les compagnons défaillants. L'ensemble crée des liens particuliers. Georges Pompidou a trop étudié les auteurs classiques pour ne pas être conscient qu'il détient un trésor, que celui-ci peut devenir un arsenal et que cela risque de lui valoir mille inimitiés.

A une échelle infiniment réduite, j'ai connu cette sensation lorsque je me rendais à Colombey pour préparer, avec le Général, l'édition de ses *Discours et Messages*, puis de ses *Mémoires d'espoir*. A quoi comparer ce privilège ? Il faut bien savoir qu'il comporte des dangers. L'impression est d'abord grisante. Comme lorsqu'on a accepté, sous l'Occupation, d'entrer dans le B.C.R.A., le Bureau central de renseignements et d'action de Londres. D'un instant à l'autre, on ne voit plus ni les passants ni les « Boches » de la même façon. On est investi d'une mission inconnue du reste des gens.

« Il n'y a rien à faire [...] le pays se complaît dans l'ignominie, jette de Gaulle. Il a consenti depuis 1940 à ne plus être un grand pays [...], on a perdu l'Inde, on va perdre l'Indochine, on se prépare à perdre la Tunisie [...]. Daladier, Reynaud, tous ceux-là, ils sont pressés. Ils n'ont pas, comme moi, leur destin derrière eux [...]. Ceux du R.P.F. sont comme les autres [...]. Mais moi, je ne suis pas comme eux. »

Volontiers apocalyptique, l'homme du destin, comme l'avait qualifié Churchill en 1940, voit les abysses s'ouvrir devant la France. « Cette société est perdue ! clame-t-il. La race, elle, vivra ! » De temps à autre, une lumière s'allume, une chance perce dans les ténèbres : « Si les choses se gâtent et que je vienne aux affaires... », mais aussitôt il se reprend : « ... ou si je viens aux affaires et que les choses se gâtent... », et il conclut : « Vous voyez, c'est pareil ! »

Ses jugements sont abrupts : « Il y a trois forces en France : les communistes, les gaullistes et les vichystes. » Nombre de ses anciens compagnons sont épinglés avec férocité. Les noms voltigent. Personne ou presque n'est épargné. Dépit ? Chagrin ? C'est bien la faillite des illusions. Même le passé guerrier est analysé avec une clairvoyance décapante : « D'ailleurs, j'ai bluffé [...]. J'ai sauvé la face mais la France ne suivait pas. » Le présent aussi est malmené furieusement : « Je ne serai pas au pouvoir [...]. Qu'ils crèvent ! C'est le fond de mon âme que je vous livre : tout est perdu. La France est finie. J'aurai écrit la dernière page ! »

Pompidou n'est pas dupe. Les tragiques grecs lui sont familiers. Il sait très bien que ces cris de haine sont des mots d'amour meurtri. Mais qu'il tente de réconforter le Général, et aussitôt le mépris flambe : « La chance, c'était de coller à de Gaulle [...]. Ils n'ont eu tous qu'une pensée, l'éliminer [...]. De Gaulle c'est l'effort et personne ne veut consentir le moindre effort [...]. Moi, je m'en fous, ma vie est remplie ! » Les civilisations défilent et tombent comme au jeu de massacre : « Ce n'est pas la première fois dans l'Histoire. La Grèce, Rome... Aujourd'hui : c'est nous ! »

De Gaulle exhale sa rage : « Tout ce qui parle, écrit, dîne en ville, bave sur moi. » Et il conclut : « Voyez-vous, il n'y a que deux moteurs à l'action des hommes : la peur et la vanité. Ou c'est la catastrophe et alors la peur domine. Ou c'est le calme, et alors c'est la vanité. »

Une fois, Pompidou se hasarde à proposer une alternative et prononce le mot « honneur ». La réponse tombe, tranchante : « Détrompez-vous Pompidou : il n'y a pas d'honneur en politique. C'est pourquoi ou je ferai ce que je voudrai parce qu'ils auront peur, ou ils me trahiront. »

Au fond de lui, le fils de l'instituteur de Montboudif, tout accoutumé qu'il soit à son illustre interlocuteur, doit parfois tressaillir. Certes, il aime l'irrespect. Il le possède de naissance et l'a cultivé en khâgne et à l'École ; mais, certains jours, il doit se sentir très loin de Jaurès. « Donner la liberté au monde par la force, écrivait le tribun socialiste dans *L'Armée nouvelle*, est une étrange entreprise pleine de chances mauvaises. En la donnant, on la retire. »

☆

Le 9 mai 1953, de Gaulle, au dire de Pompidou, dresse « un tableau très juste du système », après quoi il l'interroge : « Enfin, Pompidou, pourquoi me combattent-ils tous ? Pourquoi ? Alors qu'ils sont d'accord avec mes critiques ? Si encore c'était au nom du communisme ou même du Maréchal, alors je le comprends ou je l'ai compris. Mais c'est pour rien, au nom de rien ! »

Le Général, à cette occasion, confie à son directeur de cabinet qu'il rédige ses Mémoires : « En ce moment, je revois les textes ! »

Ce n'est pas une phrase en l'air. C'est, en effet, Georges Pompidou qu'il chargera, un peu plus tard, d'aller négocier avec son éditeur. Il opte pour la Librairie Plon. A André Astoux il explique : « Plon a édité Clemenceau, Joffre, Foch, alors ! »

J'ai été président de la Librairie Plon, où j'ai succédé à Maurice Bourdel. C'est avec lui et son directeur littéraire, Charles Orengo, que Georges Pompidou a traité. J'ai lu la lettre de De Gaulle l'accréditant. Après la Fondation Anne-de-Gaulle, c'est son œuvre magistrale qu'il lui confie. Et il le fait au moment où, sous la pression vulgaire des événements contraires, il ressent l'ingratitude de l'Histoire. Quand on sait l'importance que de Gaulle confère à l'écrit depuis son enfance, le rôle qu'a joué le verbe à la radio de Londres, la gravité de la querelle qui l'a opposé à Pétain à propos de l'ouvrage intitulé *Le Soldat* que le Maréchal voulait publier, on mesure la confiance que de Gaulle accorde à Pompidou.

Ce dernier s'acquittera de sa tâche avec conscience. J'en veux pour preuve cette lettre adressée par Pompidou, le 5 février 1955, à la Librairie Plon : « C'est avec la plus vive surprise, écrit-il, que j'ai appris que des exemplaires des *Mémoires de guerre* du général de Gaulle avaient été exposés en vitrine et mis en vente par un libraire de la rue du Vieux-Colombier avec une indication apparente de baisse de dix pour cent sur le prix. » On charge un huissier de se rendre sur place et de dresser un constat. Nul ne peut interdire au libraire le droit de pratiquer un rabais, mais l'auteur de l'ouvrage estime que cette remise exceptionnelle doit s'appliquer à l'ensemble des titres proposés, faute de quoi elle peut « donner l'impression qu'il s'agit, en ce qui concerne les *Mémoires de guerre*, d'ouvrages dépréciés ».

Le 10 août, Pompidou est reçu par le Général. En le raccompagnant, celui-ci lui dit : « L'homme n'est plus maître de son œuvre. Le monde ne résistera pas à l'appel du néant ! »

☆

Le Normalien s'engage alors dans une nouvelle expérience. Sachant que l'univers politique lui est pratiquement fermé, pour un temps plus ou moins long, il se dirige vers le milieu des affaires. Par l'intermédiaire de son ami René Fillon, il entre à la Banque Rothschild.

Les Rothschild, c'est plus qu'un établissement financier, c'est une institution ; c'est plus qu'une famille, c'est une légende. Un mystère les entoure. Dans son *Histoire des Juifs*, Paul Jonson raconte : « La mort d'un Rothschild était toujours le signal d'un autodafé de papiers privés plus monumental et radical que ceux de la reine Victoria [...] il n'y avait pas, chez eux, de cabinet d'archives [...]. Respectueux de leurs ancêtres, ils pensaient prudemment au lendemain, mais vivaient surtout dans le moment présent sans se soucier particulièrement du passé ni de l'avenir. »

La branche londonienne des Rothschild avait, à la fin du siècle précédent, acquis ses lettres de noblesse : elle fut désormais estimée de tous. « Aux cochers du *East End* dont il était le client habituel, Rothschild avait coutume de donner un couple de faisans, à chacun, pour la Noël. Lorsqu'il mourut, les marchands de quatre-saisons tendirent de crêpe leurs petites voitures. Et on put lire dans la *Pall Mall Gazette* : "C'est grâce à la vie de lord Rothschild que la Grande-Bretagne a échappé à tout ce pullulement de sentiments raciaux". »

En 1953, à Paris, les Rothschild, ce sont le baron Guy et sa femme Marie-Hélène, autant dire, outre la puissance et la fortune, tout ce qu'il y a d'original et de talentueux dans les domaines les plus divers. Le professeur de latin du lycée Saint-Charles, encore sous le coup de ses deux « rencontres » avec le Général, se trouve, du jour au lendemain, plongé dans un bain de mondanités, d'ostentation et de rigueur bancaire. « Je n'ai jamais possédé une action, dit-il alors, et je ne sais pas faire la différence entre une traite et une lettre de change. » Il lui suffit apparemment de quelques mois pour être parfaitement au courant : « Je n'ai jamais rencontré personne qui ait plus les pieds sur terre que cet intellectuel, constate en effet le baron Guy. Sans jamais rien renier de ses idées, il était ouvert à tout raisonnement, l'œil et l'oreille toujours aux aguets. »

On peut s'interroger sur les raisons profondes qui ont conduit Pompidou à embrasser cette nouvelle carrière. Apparemment, ce n'était pas par vocation ou en vue de se constituer une fortune personnelle. C'eut d'ailleurs été antinomique avec de Gaulle : « La vérité, écrit-il, est que le Général n'aime pas les gens qui gagnent de l'argent. » Sa décision semble répondre à un rejet progressif de son activité quotidienne au Conseil d'État. S'y ajoutaient d'autres considérations : maître des requêtes, il lui faudrait naturellement patienter un certain temps avant d'acquérir, vers la cinquantaine, le grade prestigieux de conseiller d'État qui, seul, lui permettrait d'échapper à la routine du contentieux. D'autre part, sa nomination au tour extérieur l'empêchait d'occuper les fonctions les plus intéressantes, par l'indépendance intellectuelle qu'elles procurent à leurs titulaires, mais qui sont réservées à des juristes très confirmés.

D'où les Rothschild !

Toutefois, Pompidou ne devient pas immédiatement banquier. Il occupe d'abord des fonctions de direction à la Commerciale Transocéans, société du groupe dont l'objet social, sous le contrôle des pouvoirs publics, est d'organiser des opérations d'échanges de marchandises, le plus souvent délicates à mettre en œuvre. Nous sommes très loin de *rosa, la rose*. Pourtant, Pompidou y réussit très vite. Toute nouveauté le stimule.

Il est entré de plain-pied dans le siècle. Les gaullistes des premiers jours lui reprocheront toujours son aisance de ludion. Il ne dit pas la messe, il ne s'exprime pas en latin de Résistance, il est capable d'ironiser sur le rituel des compagnons et il est à l'aise avec les puissants du jour sans afficher un deuil ostentatoire ni renier l'attachement, réel, qui le lie à la personne du Général. Il lit beaucoup, et pas toujours des ouvrages « orthodoxes », fréquente les milieux artistiques, parfois frondeurs. Quoi encore ? Il découvre Saint-Tropez et la nage à quarante ans, et, par les soirs bleus d'été, joue aux boules sur la place des Lices. On le voit en compagnie d'anciens camarades de l'École : Julien Gracq, Henri Queffélec, mais aussi Maurice Druon, Jean d'Ormesson, Jean-Louis Barrault et Madeleine Renaud, Roland Petit et Zizi Jeanmaire, le grand marchand de tableau Raymond Cordier, Jacques Chazot, Juliette Gréco, Annabelle et Bernard Buffet. Le temps de Françoise Sagan n'est pas encore venu.

Comment ne pas citer ici cette phrase superbe de Giraudoux l'impertinent : « Un seul être vous manque et tout est repeuplé ! » C'est au fond ce que les gardiens du temple ne lui pardonneront jamais.

☆

Pourtant, Olivier Guichard, qui a succédé à Pompidou dans un cabinet désormais fantomatique auprès de De Gaulle, écrit : « A ce sujet, le Général, qui aurait pu avoir des raisons de souffrir de la distance prise par Georges, ne lui retire ni son estime ni ce qui commençait à devenir une espèce d'affection. Il continuait de voir régulièrement le Général ; mais c'est, désormais, pour signifier qu'il est toujours là, pour l'informer, pour venir boire à la source d'une espérance, même si l'eau en est souvent amère... Pompidou était fidèle à ces déjeuners du mercredi où nous nous retrouvions, plus ou moins nombreux, ces déjeuners où est né le mythe des *barons* du gaullisme [...]. Il n'y a pas de grand événement touchant le Général à l'occasion duquel il ne soit pas venu donner son opinion et apporter son appui. »

Le 24 septembre 1957, André Malraux, qui se plaît à lui reconnaître « une intelligence suraiguë, une culture littéraire et artistique sans égale, un don évident de la parole, la passion de l'honneur et de l'action », lui écrit : « Merci de votre lettre. Nous avons, les uns et les autres, besoin de travailler dans une certaine fraternité et je me méfie de l'histoire qui se fait sans elle. Ce qu'il me reste aujourd'hui de la brigade Alsace-Lorraine, c'est, je crois, le souvenir de quelques amitiés qui en avaient pris la couleur — et dont elle avait aussi pris la couleur. Il y en a ici quelques-unes et je suis heureux de la nôtre. »

☆

Dès 1956, Guy de Rothschild, qui préside aux destinées de la banque de la rue Laffitte, demande à Pompidou de le rejoindre en qualité de directeur général. A eux deux, s'entendant à merveille, ils s'emploient à définir les grandes options du développement de l'établissement afin de construire ce qui deviendra une véritable banque d'affaires adaptée au monde moderne de la finance.

Étonnant parcours pour l'ancien élève du lycée d'Albi ! Il a maintenant goûté à tout ce qu'un provincial peut découvrir de plus prestigieux à Paris. Nul milieu, désormais, ne lui est étranger. Il n'est inféodé à aucun. Il vit dans la capitale comme un poisson dans l'eau. On est tenté de lui prêter un amour irraisonné pour les valeurs de la France rurale, idéalisée à l'excès. On a tort. Pompidou est attaché à une identité et à des racines qu'il juge nécessaires, à la fois à l'équilibre de l'individu et à celui de la nation ; mais sa narine palpite toujours au vent nouveau. « La vie, écrit-il, c'est le mouvement et, par conséquence, quoi qu'on fasse, il ne peut y avoir de stabilité. »

☆

Où qu'il se trouve, Georges Pompidou, depuis qu'il est entré en 1944 au cabinet du Général, s'intéresse au problème algérien. Lorsque, le 26 janvier 1955, Pierre Mendès France, président du Conseil, propose à Jacques Soustelle le poste de gouverneur général de l'Algérie, celui-ci, avant de donner sa réponse, rend visite à de Gaulle pour obtenir son aval. Au dire d'André Dewavrin, le colonel Passy de Londres, la conversation entre les deux hommes est un malentendu. Soustelle croit que son ancien chef lui recommande de défendre l'Algérie française alors que, du fond de sa retraite à la Boisserie, de Gaulle croit inéluctable le recours à une autre formule, qui, sous une forme à inventer, maintiendrait un lien privilégié avec la métropole.

A peine installé, le 19 février, Soustelle écrit à Pompidou : « Cher Georges, j'ai pris possession il y a quatre jours, et déjà il me semble être ici depuis longtemps, non que je m'y ennuie mais, au contraire, parce que je suis plongé jusqu'au cou dans les affaires, lesquelles, Dieu sait, sont plutôt compliquées et, à certains égards, mal engagées. » Le nouveau gouverneur général a toujours eu le sens de la formule : « Dans le moment présent, la situation parisienne me place dans une position vraiment inouïe, sans gouvernement [Mendès a été renversé le 5 et remplacé par Edgar Faure], sans budget, sans politique, avec une opinion ici extrêmement instable, dont la partie musulmane me fait provisoirement confiance et l'autre m'observe d'un œil hésitant. » Et il conclut : « J'aimerais beaucoup vous voir ici et j'espère que vous allez bientôt passer à Alger. Vous avez votre chambre au Palais d'été. »

Étonnante époque que cette IVe République ! Le 1er juin, Soustelle adresse à Pompidou la copie d'une note confidentielle de douze pages destinée au chef du gouvernement [c'est encore Edgar Faure] et qui conclut : « Contrairement à la thèse de ceux qui estiment qu'il ne faut rien faire sinon la répression, j'ai la conviction qu'il faut, *simultanément*, frapper avec rigueur les terroristes et mettre en chantier les mesures qui empêcheront la population musulmane de se solidariser avec eux [...]. Il faut pouvoir convaincre par nos actes de larges couches de la population autochtone que la France veut, réellement, conduire l'Algérie vers un avenir d'intégration complète et loyale [...]. Faute de quoi les gouverneurs généraux se trouveront tantôt acculés à une répression sanglante, tantôt contraints à des concessions excessives, deux politiques qui risquent de conduire, l'une et l'autre, aux conséquences les plus tragiques. »

☆

Ainsi, oublié par les hommes politiques en place — les « politichiens », dit de Gaulle —, apparemment absorbé par les opérations financières dont il a la charge et par les débats artistiques ou littéraires, Georges Pompidou est, paradoxalement, l'un des hommes les mieux informés de l'époque. Il maintient un lien très serré avec de Gaulle qui incarne pour lui, selon le mot de Michel Jobert, « cette vérité fulgurante et simplificatrice qui l'empêche de douter quand il faut choisir ». C'est une position exceptionnelle et sa formation de normalien lui permet d'en faire son miel. Il attend. Rien ne presse. L'impatience n'est pas dans son héritage.

Citant Braque, l'un de ses peintres de prédilection, il dit volontiers : « Je ne cherche pas l'exaltation, la ferveur me suffit. »

Toujours, il naviguera ainsi, visant une vérité qu'il situe « à mi-chemin entre deux théories extrêmes ».

☆

Et de Gaulle ?

A l'abri des grands arbres de la Boisserie, solitaire, arpentant le parc en comptant ses pas, multipliant les réussites sur la petite table, il assiste au démantèlement de la France victorieuse qu'il a voulue de toutes ses forces et pour laquelle il a, comme il le dit, « tant bluffé ».

Se souvient-il de cette phrase qu'il avait écrite dans son ouvrage *Le Fil de l'épée* ? « L'homme d'action ne se conçoit guère sans une forte dose d'égoïsme, d'orgueil, de dureté, de ruse. Mais on lui passe tout cela et, même, il en prend plus de relief s'il s'en fait des moyens pour réaliser de grandes choses. »

L'heure ne va plus tarder.

TROISIÈME PARTIE

Avec le Général

> *« La partie semble jouée, mais brus-quement l'action s'arrête. Les pré-textes dérisoires du drame dispa-raissent. Néron reste en face de ses tentations. »*

Georges Pompidou
(commentaire sur l'acte III de *Britannicus*)

I

« Six mois de cabinet »

Mai 1958

« La France vient du fond des âges. Elle vit. Les siècles l'appellent. »

C'est par cette phrase que de Gaulle ouvre ses *Mémoires d'espoir*. Il entend par là que, puisqu'il s'apprête à revenir, le « cher et vieux pays » renoue le fil naturel de son destin.

Depuis que le 13 mai une manifestation des partisans de l'Algérie française a débouché sur l'occupation du gouvernement général et sur la création d'un Comité de salut public, la fièvre a gagné Paris.

Justement, de Gaulle s'y rend le 14 mai. Il y a rendez-vous, rue de Solferino, avec l'éditeur que Pompidou lui a trouvé et qui, alors que les deux premiers tomes des *Mémoires de guerre* sont en librairie, s'informe de l'avancement du troisième. Georges Pompidou assiste à la conversation avec Charles Orengo. Le sixième chapitre est achevé, et l'on envisage la parution du volume pour octobre. Le directeur littéraire de Plon s'enquiert soudain des « événements », sans doute pour réfléchir au calendrier de publications. « Quels événements ? » demande de Gaulle. Il ne *veut* pas y penser. Tout au long des semaines précédentes, il n'a cessé de répéter à qui voulait l'entendre : « On ne me rappellera jamais ! Le système préférera tout à de Gaulle : même le chaos, même la chute de la France. » Et il reprend la voiture noire qui le ramène dans l'Est.

A Colombey, le Général est régulièrement tenu au courant par son agent de liaison, Olivier Guichard, « d'une confusion qui met son personnage à l'ordre du jour dans les propos et les calculs ». Il a soixante-sept ans. En dépit de ce qu'il appelle « son âge, les lacunes de ses connaissances et les limites de ses capacités », il s'estime prêt à « personnifier une grande ambition nationale ». Tous les regards, naturellement, se tournent vers lui.

Le 15, de la Boisserie, de Gaulle exprime, en sept lignes définitives, sa vision des événements. Il constate la dégradation de l'État, stigmatise la nocivité du régime des partis, rappelle que naguère le pays, dans ses profondeurs, lui a fait confiance, et conclut : « Aujourd'hui, dans les épreuves qui montent de nouveau vers lui, qu'il sache que je me tiens prêt à assumer les pouvoirs de la République. »

C'est un tout autre pari que celui du 18 juin 1940. A l'époque, la France s'écoulait sur les routes, la fine fleur de son armée tombait entre les mains de l'ennemi, le territoire était envahi, et très rares étaient dans la débâcle les Français qui avaient entendu cet appel, venu d'au-delà de la Manche. Cette fois, les sept lignes de Colombey éclatent comme un coup de tonnerre et tous les médias les répercutent.

Les événements vont dès lors se précipiter. Comme l'écrit le Général, « chacun comprend que les faits vont s'accomplir ».

☆

Les gaullistes « historiques » ne restent pas inactifs. Jacques Soustelle, ancien gouverneur général, Roger Frey, Jacques Foccart, Lucien Neuwirth, Jacques Chaban-Delmas, Olivier Guichard qui a remplacé Pompidou au cabinet du Général, s'emploient à tirer parti de la vacance du pouvoir consécutive à l'insurrection algéroise du 13 pour faire avancer les affaires de De Gaulle. Lui se mure dans son silence. Il vient de parler. « J'ordonne ou je me tais », disait Napoléon.

Habilement, au cours des quatre jours qui séparent la déclaration de Colombey de la conférence de presse tenue au Palais d'Orsay, ces quelques fidèles, relayés par des réseaux d'amitiés et des sympathisants, parviennent à convaincre le général Salan, confirmé à son poste à Alger, d'en appeler au Général depuis la place du Forum où, sous le ciel d'Afrique, une foule immense s'est rassemblée.

Le 19, alors que le gouvernement Pflimlin (constitué le 14, et remanié le 15 par la désignation de trois ministres socialistes) a décrété l'état d'urgence, de Gaulle convoque les journalistes sous les lustres du Palais d'Orsay. D'emblée, il raboute son départ et son retour : « Mesdames, Messieurs... Il y aura bientôt trois années que j'ai eu le plaisir de vous voir... [sa dernière conférence de presse remonte au 30 juin 1955]. Lors de notre dernière rencontre, je vous avais fait part de mes prévisions et de mes inquiétudes quant au cours des événements, et de ma résolution de garder le silence jusqu'au moment où, en le rompant, je pourrais servir le pays. »

Quand on l'interroge sur le Rassemblement du peuple français défunt, il répond : « Il s'est trouvé que le régime a réussi à absorber, peu à peu, tous ses élus, de telle sorte que je n'avais plus de moyen d'action à l'intérieur de la légalité. Alors, je suis rentré chez moi. »

Et au journaliste qui lui fait part de la crainte qu'ont certains, s'il revenait au pouvoir, de le voir « attenter aux libertés publiques », il réplique avec aplomb : « L'ai-je jamais fait ? Au contraire, je les ai rétablies quand elles avaient disparu. Croit-on qu'à soixante-sept ans je vais commencer une carrière de dictateur ? »

Dans ses Mémoires, le Général raconte l'impression qu'il a ressentie à son arrivée au Palais d'Orsay : « Je sens combien, en quelques jours, l'atmosphère s'est alourdie. Il est vrai que le ministre de l'Intérieur, Jules Moch, y contribue pour sa part. Suivant ses ordres, la police a déployé le maximum de forces aux abords de la conférence, comme si on pouvait penser que de Gaulle allait se présenter à la tête d'une troupe de choc pour s'emparer des bâtiments publics... Le ministre inspecte en personne les longues colonnes de voitures blindées et de camions armés qui occupent les deux rives de la Seine. Le spectacle dérisoire me confirmant dans ma certitude qu'il est grand temps de remettre la République en équilibre, je prends devant la presse le ton du "maître de l'heure". »

☆

Et Georges Pompidou ?

Il n'apparaît pas du tout durant ces journées exceptionnelles. Il ne participe à aucun des « 13 complots du 13 mai ». Sa nature, sa formation, sa naissance et sa culture l'en tiennent naturellement éloigné. Rien de ce qui se passe — soulèvement patriotique à Alger, panique des autorités républicaines à Paris, manœuvres et déclarations un peu partout des survivants du R.P.F. — ne ressemble à l'idée qu'il s'est toujours faite de l'action politique. Olivier Guichard se souvient l'avoir rencontré sur le trottoir de l'avenue Marigny durant ces semaines troublées, et, de leur brève conversation, il a retenu l'inquiétude du Normalien. « Il craignait, écrit-il, que notre activisme n'entraînât le Général dans quelque méchante aventure. Il me le reprocha même avec deux vers de Corneille que je n'ai pas oubliés : "Et quand la renommée a passé l'ordinaire/Si l'on ne veut déchoir il ne faut plus rien faire." »

La conviction du fils d'enseignant devenu enseignant lui-même en passant par la plus haute école de la République est qu'il existe *une vérité d'essence populaire*. Il observe les faits, déplorables, qui jalonnent le parcours de cette grande crise nationale et créent un fossé entre les deux bords de la Méditerranée. Les hommes qui y jouent une dangereuse partie où la France risque de perdre son âme lui paraissent, de part et d'autre, inconséquents, même lorsqu'ils sont vaillants et sincères. Pompidou est assez vite convaincu que, plus que l'habileté des uns et la menace exercée par les autres, c'est bien le peuple français qui, au plus profond de lui-même, souhaite le retour du Général au pouvoir. Maintenant que l'orage gronde, il veut sentir la grande ombre tutélaire au-dessus de lui.

De Gaulle le sait.

Lorsque René Coty se décide à faire appel « au plus illustre des Français » et que le Général s'installe à Matignon, il clôt sa première allocution officielle par une phrase de connivence avec ceux qui l'écoutent : « Il faisait bien sombre, hier, mais, ce soir, il y a de la lumière. Françaises, Français, aidez-moi ! »

Pompidou, en l'entendant, doit être comblé. Il retrouve la pensée et le langage d'un homme qui, selon lui, « ne sépare pas la grandeur de la liberté ». L'analyse qu'il fait des drames à répétition qui ont ramené de Gaulle à sa place est d'une rare clairvoyance : « Les hommes de la IVe République étaient contraints de trouver en eux-mêmes les moyens du salut. Mais le régime était incapable de soutenir un tel effort et surtout d'en payer le prix. La présence d'un million et demi de Français en Algérie, la colère d'une armée à qui l'on ne demandait plus que de fournir les barouds du déshonneur en couvrant les arrières de nos retraites nationales, rendaient impossible l'abandon, même déguisé. C'est ainsi que devint inévitable la chute d'un régime qui n'avait jamais cessé de "flotter à la surface des événements comme l'écume sur la mer". »

Et il conclut : « Le vrai complot (il y en eut tant !) ne date pas de 1958. Le vrai complot est celui qu'ont monté, dès 1946, le Parti communiste, le Parti socialiste, puis le M.R.P., quand, par crainte du pouvoir personnel, ils ont construit un régime où l'instabilité était partout et l'autorité nulle part. »

☆

Le 24 mai, le général de Gaulle, nouveau et dernier président du Conseil de la IVᵉ République, invite Georges Pompidou à déjeuner à l'hôtel Matignon. Pour le Normalien, « le temps redevient le temps qui dépend des ordres supérieurs », suivant la formule d'André Malraux. De Gaulle *veut*.

Pompidou sait que sa famille redoute pour lui qu'il ne succombe une nouvelle fois. Va-t-il dire non ? Une page décisive de l'histoire de la France contemporaine va s'écrire après bien des tourments et des fautes. Dès qu'il a reçu l'invitation, *il le sait*. Il va contribuer à écrire cette page, du moins durant quelques mois, à la mesure de ses moyens, qui sont ceux d'un homme discret, mais déterminé. On le dit combatif dans l'ombre, inflexible dans la lumière.

« Georges Pompidou, écrit Jacques Chirac, savait que rien ne s'accomplit de durable dans la vie des hommes qui ne soit fondé sur le respect de ce qu'ils espèrent, de ce qu'ils veulent, et, surtout, de ce qu'ils sont. »

Il revient donc, comme directeur de cabinet, auprès du Général, pour une nouvelle et passionnante aventure. Son retour n'est pas très apprécié par les entourages : les rares qui sont restés fidèles, les impatients qui voulaient aller trop vite, les transfuges qui sont entrés dans le système et s'en repentent. Que vient faire ce Normalien dans le jeu ? Raymond Triboulet, « gaulliste historique », n'hésite pas à répondre : « Cette période ingrate où le Général avait auprès de lui un Pompidou qu'il avait auparavant fait accueillir au Conseil d'État explique son attachement assez inexplicable pour ce nouveau collaborateur de nature si éloignée de la sienne. »

C'est dire que les nuages, le jeu à peine entamé, commencent déjà à s'amonceler...

De Gaulle a tant attendu qu'il est décidé à aller très vite. Et il prend garde de tenir à distance ceux de ses compagnons qui l'ont délaissé ou desservi. Pourquoi, dans cette période cruciale où le destin lui offre une nouvelle chance, appelle-t-il aussitôt Pompidou à un poste exceptionnel et à peu près sans équivalent ?

Le Général, en revenant aux affaires, ne se trouve nullement dans la position d'un président du Conseil de la IVe République. D'abord parce que celle-ci est moribonde, ensuite parce que, pour le bien du pays, de Gaulle a, solidement ancrée dans la tête, la volonté de la rénover, d'en créer une autre qui portera son empreinte et sera dégagée de l'emprise délétère des partis. S'il se rend en jaquette à la cérémonie d'investiture au Palais-Bourbon, c'est pour sacrifier au rituel d'une institution défunte. Mais il a l'esprit ailleurs : d'abord calmer Alger. Il a beau confier à ses proches : « L'armée ne peut rien contre moi. Elle aurait pu quelque chose contre un Pflimlin, un Mollet », il sait qu'il lui faut aller vite. Instruit par l'expérience, il veut doter la France d'une Constitution qui la mette à l'abri des déconvenues de 1940 et 1958. Pour cela, il a besoin d'être sûr de son propre cabinet. C'est le sens de son accommodement avec Georges. Ils conviennent ensemble d'un engagement de six mois, le temps nécessaire à la remise en ordre des affaires et à l'installation d'un nouveau système de fonctionnement des pouvoirs.

Certes, de Gaulle est conscient de l'irritation de ceux qui eussent préféré qu'il choisisse un compagnon de la première heure. Cette déconvenue n'est pas pour déplaire au Général. Il marque ainsi qu'il n'appartient à personne et rappelle, fort opportunément, que, dans sa traversée du désert, il a eu tout loisir de méditer sur le comportement des uns et des autres, et, à présent, d'en tirer les conséquences.

☆

De grands dossiers attendent le nouveau directeur de cabinet : la rénovation des institutions d'abord, le retour à la stabilité économique ensuite, l'Algérie enfin. Sur chacun de ces dossiers majeurs, Georges Pompidou va imprimer sa marque, celle du pragmatisme et de la détermination. Plus tard, le Général confiera à Olivier Guichard : « L'Histoire ne saura jamais tout ce qu'a fait Pompidou pendant ces six mois d'organisation de la Ve République. »

Au-delà du drame algérien, qui obscurcit l'avenir immédiat, la rénovation des institutions constitue pour de Gaulle l'enjeu majeur de son retour aux affaires. Il veut se hâter de porter le fer dans les institutions défaillantes où se trouve, selon lui, la racine du mal. De plus, les événements eux-mêmes, qui l'ont ramené au pouvoir, fournissent, au grand jour, la preuve manifeste de l'urgence qu'il y a à installer à la tête de l'État un exécutif solide.

L'une des premières tâches de Pompidou est d'assurer la transition entre l'ancienne Constitution, celle de 1946, et celle qui doit voir le jour. Il s'agit avant tout d'éviter l'enlisement parlementaire sans pour autant brusquer les choses. Pour éviter ces deux écueils, le référendum paraît la solution la plus convenable, la plus démocratique et la plus efficace. Raymond Janot, qui fut associé de très près à ces travaux constitutionnels, fournit un témoignage précis sur l'action de

Pompidou dans ce domaine : « Il est à la fois le conseiller et l'initiateur dans le déroulement des opérations [...]. Il joue ce rôle comme membre du conseil interministériel [...] qui prend les décisions d'orientation générale sous la présidence du général de Gaulle [...] ainsi que comme directeur de cabinet par rapport aux différents groupes de travail dont, en fait, il approuve la composition. » Et il conclut : « On peut dire sans hésiter que, dans le choix des intervenants, dans les consignes générales données aux commissaires du gouvernement et dans l'élaboration même de la réflexion fondamentale sur la Constitution, Georges Pompidou était vraiment présent. »

☆

La Constitution qui s'élabore est, au plus haut niveau, confiée à Michel Debré, qui la prépare, la bâtit et la consolide afin qu'elle devienne les tables de la loi gaullienne. C'est une œuvre dédiée à l'homme du destin, un costume taillé sur mesure à des dimensions exceptionnelles. Comme les lits commandés en hâte dans les préfectures quand le Général se déplace en province. Pour Georges Pompidou, c'est avant tout l'occasion, inespérée, de doter la France d'un système de gouvernement plus stable, plus apte à la conduite des affaires publiques face à un univers en pleine transformation. « L'avenir, estime-t-il, n'est pas à ceux qui ne sont qu'habiles, du moins en démocratie. » Ce mot confirme la confidence rapportée par Raymond Tournoux : « Si l'on est dans l'action, il vaut mieux être intelligent. Mais les qualités fondamentales sont le bon sens et le caractère. »

Le long débat sur la Constitution conduit en quelque sorte le Normalien à connaître, dans le détail et de l'intérieur, le territoire et les intentions du Soldat. Il se sent, chaque jour davantage, prêt à servir cet homme-là. Mais, sans doute, lui seul...

Un détail révélateur : de Gaulle, au moment où Alger s'est réveillée, était, sans grande illusion, occupé à ses Mémoires. Il avait demandé à Pompidou — qui assurait la liaison avec Plon — ce qu'il en pensait, et Georges s'était déclaré frappé, dès le premier tome, par le caractère en quelque sorte immédiat et définitif, du destin du Général — tel qu'il le relatait lui-même : « On ne sent guère dans votre livre de différence entre l'homme d'avant le 18 juin, et celui d'après. Alors que, pour vous, comme pour la France, c'est le moment décisif : celui où vous vous déclarez. » Et de citer Giraudoux, dans *Électre* : « Il ne signifie rien, mon mot, se déclarer ? Qu'est-ce que vous comprenez, alors, dans la vie ? Le vingt-neuf de mai, quand vous voyez tout à coup des guérets grouillant de milliers de petites boules, jaunes, rouges et vertes [...] il ne se déclare pas le chardonneret ? [...] Tout se déclare dans la nature ! Jusqu'au Roi ! »

De Gaulle avait hoché la tête : « Pas pour moi. Il n'y a pas eu de changement. J'étais exactement *le même* avant le 18 juin qu'après. »

☆

« Le Général, rapporte Georges Pompidou, était déjà surchargé et certains domaines lui étaient peu connus. Quand on en est arrivé au plan de rénovation financière, j'ai été très souvent consulté. J'ai été ainsi amené à travailler directement avec des ministres. »

Le directeur de cabinet collabore avec Roger Goetz, Louis Armand et Jacques Rueff à l'élaboration de ce plan dont Antoine Pinay, ministre de l'Économie et des Finances, assume la responsabilité politique. Les longs mois passés à la vice-présidence de la Banque Rothschild semblent avoir constitué une excellente propédeutique. Pompidou s'est fait une conviction sur ce qu'est l'économie d'un grand pays moderne. Il l'exposera plus tard dans *Le Nœud gordien* : « Les tenants du socialisme [...] sont des esprits préoccupés, en réalité, non d'économie, mais de redistribution des richesses. Préoccupation louable en elle-même mais qui devrait être précédée d'une interrogation sur la création de ces richesses qu'on désire mieux redistribuer. » L'ancien lycéen d'Albi ne démentira jamais Jaurès, mais il fera toujours passer ses convictions d'adolescent au crible de la réalité des choses. Désormais, il n'enseigne plus : il participe directement à l'action de gouverner.

☆

Le second enjeu de l'établissement de la Vᵉ République, après la réforme des institutions, est le retour à la stabilité économique. Jean Guyot, alors membre du comité des experts réunis à cet effet, témoigne de la communauté d'esprit qui rapprochera d'emblée Jacques Rueff et Georges Pompidou. « Les deux hommes, écrit-il, avaient une forte personnalité intellectuelle. L'un et l'autre, par des voies différentes, s'étaient attachés à la réflexion philosophique, mais l'un et l'autre avaient aussi un réel contact avec la réalité. Jacques Rueff avait une intuition très sûre des réactions de la psychologie collective. Georges Pompidou, pour sa part, se montrait armé d'un réel bon sens et d'une solidité à toute épreuve. » Et il conclut : « La caractéristique essentielle de ce plan de 1958 est qu'il représente un ensemble dont les différentes parties sont articulées par une pensée cohérente, axée autour de trois objectifs : l'arrêt de l'inflation, le rétablissement de la monnaie et la libération des changes, qui marque par ailleurs, sans que l'on en prenne conscience sur le moment, le caractère irréversible du choix européen de la France. »

Pompidou se donne à fond à cette entreprise difficile et exaltante. « Après cela, avoue-t-il, malgré tout l'intérêt d'un tel travail, j'ai ressenti, encore une fois, cette espèce de recul devant les servitudes de la vie publique, devant tout ce qu'elle impose de sacrifices de la vie privée et de la vie de famille, d'obligations extérieures, qui m'étaient et qui me restent pesantes. »

Nous voici, à nouveau, à l'essentiel. Le nœud gordien, dont il fera le titre de son ouvrage sur Mai 68, est solidement noué en Pompidou et autour de lui. Tout y concourt : l'ascendance, la naissance, le tempérament, la formation intellectuelle, le milieu et le hasard. Quoi qu'on fasse, l'enfant de Montboudif, le khâgneux, le flâneur du Luxembourg, n'entrera jamais vraiment dans les ordres réguliers. Il est trop enraciné dans son siècle. Il en goûte les saveurs et en exprime les sucs. Sans doute estime-t-il que, pour bien gouverner un peuple, il ne convient pas de s'en éloigner. Il tient à demeurer dedans en famille et dans la vie.

Tel est l'homme, à cet instant de sa vie. Il se considère « au-delà du milieu du chemin ». Il travaille, aux rares moments de loisirs qu'il s'accorde, à son *Anthologie de la poésie française*, il engrange « sous le plus petit volume possible tout ce dont il ne pourrait pas se passer sur l'île déserte imaginaire ». Il ne suit pas l'exemple d'Ulysse. Point de cire dans les oreilles pour ne pas entendre le chant des sirènes. Pompidou, obstiné et tranquille, se veut un arbre du Cantal, enraciné mais livré au grand air. Il a réservé une place particulière, dans son ouvrage, à un vers isolé de Valéry : « Le vent se lève ! Il faut tenter de vivre ! »

C'est ce que Pompidou décide de faire. Au terme d'un semestre d'activité auprès du Général, il le quitte une nouvelle fois. De Gaulle le regarde partir. Le colonel de Bonneval, l'aide de camp du Général, constate : « En six mois, le Général s'était pris d'un sentiment paternel pour Pompidou. Sous une écorce rude, de Gaulle est d'une sensibilité extrême. C'est au cours de cet été 1958 qu'est née son affection pour Pompidou. »

II

Retour à la vie privée

Le 27 septembre 1958, conscient que, pour lui, un nouveau rendez-vous avec le destin s'apprête, Georges Pompidou s'adresse, par écrit, au Général. Depuis que le « haut lieutenant-colonel » s'est levé aux lisières de l'histoire de France, ils sont assez nombreux à avoir éprouvé la nécessité de prendre la plume, à un moment ou à un autre, pour lui exprimer leurs doutes ou leurs espérances. Peu l'ont fait. La distance, même teintée d'affection, que de Gaulle impose aux rapports humains, lorsque les individus sont au service de l'État, n'est guère propice aux confidences. Si on l'ose, mieux vaut écrire. Pompidou prend un papier à en-tête de la présidence du Conseil, portant l'indication « Le Directeur de Cabinet », et rédige un brouillon : « Au moment où vous me lirez, les résultats du référendum seront sur le point d'être connus. Il est probable que votre succès sera total et cela vous conduira peut-être à assumer prochainement, de façon durable, la charge de chef de l'État. »

Aussitôt après ce préambule, Pompidou met les choses au point, sans la moindre ambiguïté. « S'il devait en être autrement et que vous quittiez les affaires [il ne l'exclut donc pas], ma lettre n'aurait plus de raison d'être. » Pompidou aborde donc « l'autre hypothèse », celle de la victoire, et il croit bon de rappeler « les conditions dans lesquelles il a pris la direction du cabinet du Général lorsque celui-ci lui a fait *l'honneur insigne* de l'y rappeler ». La suite — on va le voir — est capitale.

Nous sommes, sans nul doute, devant le document le plus explicite et le plus complet sur les relations entre de Gaulle et Pompidou. Ce dernier, en quelque sorte, se définit *par rapport à l'État*, et donc, dans la conjoncture (et dans l'esprit du Général), *par rapport à de Gaulle.* « Je vous ai dit qu'après quatre ans d'activité privée, j'étais déterminé à poursuivre une carrière qui me convient par l'intérêt des tâches assumées, la liberté du mouvement, la part laissée à la vie personnelle, alors que la vie publique ne peut offrir aucun poste de responsabilité réelle qui ne soit accompagné de servitudes de toutes sortes que je trouve proprement into-lérables, *pour qui n'est pas l'homme d'un grand destin.* »

Le correctif, et il est de taille, intervient à point nommé. Jusque-là, le Normalien exposait au Soldat combien le métier de gouverner requérait une race d'individus hors du commun, dont l'aventure, pour illustre qu'elle fût, n'était pas enviable. Dès lors qu'il a formulé cela, Pompidou se sent libre de s'écarter de De Gaulle. Il estime en avoir le droit. « Depuis le 1ᵉʳ juin, écrit-il, je me suis donné à ma tâche totalement. Je l'ai faite avec passion mais sans jamais être ébranlé dans ma décision première... » Pompidou va plus loin, et prétend qu'à cette certitude de ne pas poursuivre l'expérience au-delà d'une certaine date il doit « une indé-pendance de jugement et une liberté d'esprit totales ». N'est-ce pas, en quelques lignes, attirer l'attention du Général sur le comportement de tous les autres ? N'est-ce pas se déclarer ouvertement différent d'eux ? Comment pourrait-on s'éton-ner de constater que, de leur côté, les vieux fidèles du Géné-ral s'irritent de voir un Pompidou, en lequel ils ne se recon-naissent pas, accéder au cercle très étroit dans lequel de Gaulle ne laisse entrer qu'un petit nombre d'élus ?

Le brouillon de la lettre comporte trois pages d'écriture serrée et dense. La dernière est hachurée, et il n'en subsiste que le premier et le dernier paragraphe.

Pompidou termine en assurant le Général « de sa respectueuse affection, pour le présent et pour l'avenir, et de sa fidélité à sa personne ».

On le voit à l'écriture, aux ratures et aux phrases finalement épargnées, Pompidou aborde sans détour, dans cette lettre du 27 septembre 1958, le problème de ses relations avec de Gaulle. Il ne laisse rien au hasard. Il joue franc jeu. Nous aurons l'occasion d'y revenir plus tard, en évoquant une nouvelle séparation, mais il semble bien que, seul, Pierre Brossolette, avec encore plus de détermination, avait osé faire auprès du Général une mise au point du même ordre. C'était le 2 novembre 1942, à Londres, dans un moment critique de la France libre.

☆

Le référendum gagné, la Constitution adoptée, le départ approche. S'il s'en va, Pompidou doit le faire savoir au Général avant la fin de 1958. Déjà, de Gaulle s'en ouvre à ses familiers : Guichard, Courcel, Bonneval... Il n'hésite pas à brocarder son directeur de cabinet : « Il préfère aller gagner des sous chez les Rothschild ! »

De son côté, Michel Debré s'apprête à cueillir le fruit d'une exemplaire fidélité et la récompense de tant de coups donnés et reçus, avec vaillance et éclat, au nom du Général. Il sera le premier Premier ministre de la Ve République. A ce titre, il envisage de proposer à Pompidou le portefeuille des Finances. Mais le moment n'est guère propice pour se séparer de Pinay, alors il songe à l'Éducation nationale. Rien n'y fait. Pompidou s'en va.

Le 8 janvier 1959, de Gaulle appelle Pompidou une dernière fois. Il lui demande de prendre place, à ses côtés, à l'arrière de la voiture découverte dans laquelle il se tiendra debout, les deux mains posées sur la barre métallique de la capote repliée et à bord de laquelle il va descendre, symboliquement, les Champs-Élysées. Il est président de la République française. René Coty s'est retiré.

« Il me faut le concours de ceux qui servent la République, déclare de Gaulle à l'Élysée, et l'appui des hommes qui sont désormais responsables en Afrique, et, par-dessus tout, le soutien du peuple français et des peuples d'outre-mer ! Ce concours, cet appui, ce soutien, qui me furent naguère assurés dans les angoisses du péril national, je les demande encore une fois tandis qu'à l'horizon paraît la lumière de nos grandes espérances. »

Georges Pompidou est présent. Il écoute, muet. De toutes les personnes rassemblées dans le Palais pour la cérémonie solennelle de la passation de pouvoirs, il est le seul, ce soir-là, à quitter le jeu de son plein gré.

Quelques minutes encore, et, privilégié d'entre les privilégiés, il sera le seul — à nouveau et à la vue de tous — à se rendre, avec de Gaulle, à l'Arc de triomphe, comme on accompagne un guerrier vainqueur. Il respire, auprès de lui, comme jamais, l'encens de la gloire...

Le soir de ce 8 janvier 1959, auprès de sa femme et de leur fils, à quoi pense Georges Pompidou ? Au bureau qui l'attend rue Laffitte ? Feuillette-t-il le travail laissé en suspens, cette anthologie poétique dont il a su faire, sans fracas, son refuge ? Dehors, à l'en croire, « la poésie peut se rencontrer partout », mais il a déjà noté, pour sa préface, « qu'il n'est pas défendu, pour autant, de la chercher, de préférence, chez les poètes ».

« Quelle est votre idée du bonheur ? » Pompidou, répondant au questionnaire de Proust, a eu cette phrase : « Au coin du feu, le soir, auprès d'une âme aimée. » Ce soir, il y est. On lui demande ses écrivains préférés. Il répond : « Proust, Dostoïevski, Racine, Baudelaire et Shakespeare. » A cela, dans son palais élyséen où il passe pour la première fois la nuit, de Gaulle oppose : Jules Verne, Paul Féval (*Le Bossu*), Edmond About (*L'Homme à l'oreille cassée*), Charles Dickens, Edmond Rostand, Henry Bordeaux, Paul Bourget et Alphonse Daudet. Décidément, les deux hommes n'ont pas les mêmes lectures. Pourtant, quand on lui demande quel est son héros préféré dans l'existence, Pompidou répond précisément : *de Gaulle*. Et le péché pour lequel il éprouve le plus de tolérance ? *L'orgueil*.

☆

La tentation est grande de chercher à mieux comprendre la décision de Georges Pompidou. Il n'a pas encore eu l'occasion de l'exprimer publiquement, mais il porte dès ce moment sur l'époque un jugement qui explique, en partie, son geste : « Le mal de la civilisation actuelle, écrit-il, c'est que l'homme apparaît comme un *instrument* et non plus comme une fin. » Sa décision est prise : *il ne veut pas être un instrument*.

« A cette époque [les premières semaines de janvier], écrit Bonneval, Pompidou ne souhaitait pas le moins du monde revenir "aux affaires". Il me répétait avec beaucoup de force : "Oh ! là ! là ! J'aime bien la politique, mais vue de loin !" Il venait voir le Général par plaisir, par affection, par admiration. Et aussi pour l'informer de ce qu'il avait pu apprendre dans les milieux d'affaires. »

Lors du premier départ de Pompidou, de Gaulle s'était soucié de lui assurer une place au Conseil d'État ; il a la même préoccupation en 1959 et le nomme cette fois au Conseil constitutionnel qui vient tout juste d'être installé. Léon Noël en est le président et l'ancien président René Coty y siège également. C'est une désignation flatteuse. Le 18 février, Georges écrit au Général : « Je souhaite pour ma part pouvoir renoncer à mon traitement dans sa totalité. Le cumul, même partiel, avec mes émoluments privés m'apparaîtrait excessif et serait critiqué [...]. Je pense, mon général [...] que vous voudrez bien m'autoriser à exercer mes fonctions à titre purement bénévole. »

C'est clair : désormais, à toute occasion, Pompidou, s'il manifeste son attachement au Général, assied et confirme les distances qu'il a prises à l'égard du pouvoir.

De Gaulle apprécie sans doute une attitude qu'il n'a pas réussi à infléchir. Il dit volontiers de quelqu'un qu'il n'a pu convaincre : « Celui-là, je n'ai pas réussi à l'atteler ! »

Je l'ai entendu de sa bouche à propos de Bernanos. Pompidou n'est donc pas « attelé », mais, dans la conjoncture, cela le rend peut-être plus aisément utilisable. Notamment pour les grandes négociations qui s'amorcent et qui, dans l'ombre, annoncent les nouvelles orientations — quelque peu déroutantes pour l'opinion publique — de la politique algérienne du Général. Constitution. Économie. Algérie. C'est le triptyque majeur. Pour le dernier volet, le plus obsédant, les choses se font de plus en plus dans le secret... et c'est le plus souvent Michel Debré, Premier ministre, qui en fait les frais. De Gaulle semble avoir retenu la phrase de Giraudoux : « Il est des vérités qui peuvent tuer un peuple. »

Des silences aussi, peut-être.

☆

C'est à partir de Pâques 1959 que Georges Pompidou entre dans le jeu et participe à l'élaboration des grandes options qui conduiront finalement aux accords d'Évian. Sous le couvert d'un voyage d'affaires, il se rend à Alger où Alain de Boissieu lui prête une secrétaire et où il a ses premiers contacts avec les nationalistes algériens. Cette mission, pour discrète qu'elle soit, donne naissance à un bruit selon lequel se préparerait, dans l'ombre, un « plan Pompidou pour l'Algérie ». C'est le domaine par excellence réservé de De Gaulle. De plus en plus, Michel Debré souffre de se voir déposséder de prérogatives qui, par ailleurs, le crucifient. A plusieurs reprises, il offre sa démission au Général, qui la refuse. Le climat est lourd. Les consciences souffrent et peinent. Jamais le char de l'État n'a été si pénible à tirer. Il lui faut passer sur des hommes, sacrifier des serments et enterrer des fidélités très anciennes. De Gaulle a confié à Louis Joxe le dossier algérien, ce qui a accru le désarroi et la tristesse de Michel Debré qui dit n'en avoir pas été prévenu. On prépare une action secrète, en Suisse : la rencontre avec des émissaires du F.L.N. Ceux-ci se déclarent prêts à l'envisager, mais ils ne veulent dialoguer qu'avec un représentant personnel du Général. Ils se défient des fonctionnaires et des personnalités gouvernementales.

Le nom vient très vite aux lèvres de De Gaulle : « Pompidou ! »

Dès lors, les choses vont bon train. Le 18 février 1961, le Général prend la plume et, de sa longue et élégante écriture, avec de rares ratures et sans l'ombre visible d'une hésitation, il trace huit pages intitulées : « Note pour MM. Pompidou et de Leusse » [proche collaborateur de Louis Joxe]. Ils seront donc deux et rencontreront à Lucerne Ali Boumendjel et Taïeb Boulharouf, dépêchés par le F.L.N.

« 1. Votre mission, précise de Gaulle, est d'information. Il s'agit d'obtenir de vos interlocuteurs qu'ils indiquent le but que leurs mandants voudraient atteindre, le chemin qu'ils imaginent et les étapes qu'ils envisagent. » Le deuxième point à cette date, s'il était révélé, produirait l'effet d'un coup de tonnerre : « 2. Nous considérons que, dans l'avenir, l'Algérie pourra être un État souverain, c'est-à-dire disposant de lui-même, au-dedans et au-dehors [...]. Le terme d'autodétermination nous est indifférent, parce que, dans le monde actuel, il ne signifie pas grand-chose, excepté pour la propagande. Aucun État n'est indépendant, car il est toujours, en réalité, plus ou moins lié à d'autres. La question est de savoir avec qui il est lié ? Pourquoi faire ? Dans quelles conditions ? » Ainsi de suite jusqu'au point n° 10 et ultime. « Quant à une audience du Gl. de G [général de Gaulle], qui serait accordée à F.A. [Fehrat Abbas], elle ne saurait évidemment avoir lieu avant que toutes les hostilités aient cessé et que les bases précises d'un accord aient été déterminées. »

On mesure l'effet qu'aurait produit la divulgation d'un document aussi formel, et combien, pour les initiés, la plus grande réserve est de mise. Les deux émissaires se rendent séparément en Suisse. Ils écoutent les Algériens. Pour Bruno de Leusse, « c'est là un coup de maître du Général. Il voulait prouver au F.L.N. que, cette fois, le chef de l'État s'engageait personnellement sur la voie des négociations et, sortant du cercle sans issue des fonctionnaires, choisissait un homme de confiance qui, parlant en son nom, définirait les objectifs, tracerait les étapes, arrêterait la procédure. C'est ce qui est arrivé, d'après les confidences reçues récemment auprès des protagonistes de l'époque ; les Algériens, dès l'abord, ont été frappés par cette désignation. Cette fois-ci, c'était sérieux. Ils ont été flattés. »

Pompidou, pour sa part, semble moins convaincu : « Ce sera difficile de s'entendre... »

☆

Le 5 mars, les entretiens reprennent à Neuchâtel, toujours sous les auspices de la diplomatie helvétique qui, depuis le début des entretiens, apporte son concours à leur réussite. Les rencontres se déroulent dans un climat de suspicion réciproque, et Pompidou s'assombrit. « Un soir, écrit Debré, il vient me voir discrètement à Matignon. Il a le souci d'être muni de nouvelles instructions écrites. Le Général lui a demandé de les rédiger et il souhaite qu'ensemble nous les mettions au point. Georges Pompidou s'assied en face de moi et tient la plume. »

Au terme des deux rencontres, l'« envoyé spécial » du Général se fait sévère : « Au lieu de chercher à résoudre les difficultés, nos interlocuteurs ont recours aux faux-fuyants. » Ils se présentent « en champions de la paix et de l'honneur africains. Ils cherchent à faire traîner les choses en longueur pour aboutir, progressivement, sans avoir pris aucun engagement, à une sorte de reconnaissance officielle. »

Une autre fois, comme les négociations s'embourbent et que le Général est contraint de céder sur certains points, Pompidou s'indigne : « Comment ? Abandonner le Sahara ! S'il l'avait dit plus tôt, j'aurais pu conclure avec Boumendjel ! Mais alors, vous vous en souvenez, le Général m'avait interdit de céder sur ce point ! »

Le jeu est à ce point pervers, les interlocuteurs fuyants, la situation sur le terrain cahotique, qu'au retour du deuxième voyage de Pompidou et de De Leusse, Michel Debré, à son tour, ne cache guère son scepticisme : « En somme, si je comprends bien ce que Pompidou en a retenu, les rebelles algériens sont prêts à conclure un accord. A condition que nous leur lâchions tout. »

Et le Général ? Comme dans les grandes occasions, il se montre à la fois crépusculaire et déterminé. Le ciel, sur lui, est à l'orage. Mais il n'est jamais aussi à l'aise que dans la tragédie.

Pompidou doit alors se féliciter de s'être éloigné du pouvoir. Il est conscient d'avoir, lors de ses négociations clandestines, bien manœuvré pour qu'une rencontre au sommet se tienne à Évian en vue d'un accord définitif, mais il ne voit toujours rien venir. Enfin, le 30 mars, un communiqué annonce l'ouverture de la conférence.

Pompidou rédige à ce moment un post-scriptum à son *Anthologie*. Il l'intitule : « Et puis voici des vers... », et il y met en relief son choix personnel : « Tel quel, voici le mien ! »

Pour Racine, dont il a présenté la pièce la plus politique, il ne retient et n'isole qu'un seul vers de *Britannicus* : « Mon génie étonné tremble devant le sien. »

Le volume paraît chez Hachette.

Sur la page de garde, simplement ces deux mots : « à Claude ».

Le 8 décembre 1961, de Gaulle accuse réception de l'*Anthologie* que Pompidou vient de lui faire porter : « Je vous remercie, lui dit-il, de m'avoir transporté dans un autre monde, le vrai, d'ailleurs, celui de la poésie. Vous avez raison de distinguer celle-ci des poètes (comme la politique est distincte des hommes politiques). Enfin ce que vous écrivez de l'une et des autres est tout à fait remarquable. Comme je vous l'ai dit, j'eusse souhaité quelque chose de Samain et même (mais oui !) de Rostand. »

Et il termine sa lettre par une phrase de connivence, sans la moindre ambiguïté : « Quant aux affaires, la perspective que je vous ai indiquée récemment se précise dans mon esprit. Tenez-vous prêt ! »

D'un côté, la dédicace à « l'âme aimée », le coin du feu, le commerce des idées, la fréquentation des grandes fortunes et des problèmes financiers, les sorties en ville où l'amitié frôle les illusions de la mode et les vertiges de l'art contemporain ; de l'autre, la vigilance d'un grand homme, une façon exigeante et tranquille de marquer qu'on lui appartient comme il obéit, lui-même, à sa prédestination. Encore une fois, la dualité du temporel et du spirituel, de la vie en société et de la cléricature. De Gaulle, haute figure du moine, coupé du monde, Pompidou, belle stature de vivant au milieu des hommes.

Georges dévoile-t-il à Claude le sens entier de ce : « Tenez-vous prêt » ? Sans doute, rompu qu'il est à présent aux incertitudes politiques, préfère-t-il ne pas aborder ce qui n'est, alors, qu'une éventualité sérieuse que l'actualité peut, à tout instant, remettre en cause.

C'est d'ailleurs ce qu'elle ne tarde guère à faire. Le dimanche 23 avril, alors que, séparément, dans l'esprit du Général comme dans celui de Pompidou, on s'achemine vers une négociation définitive avec les chefs du F.L.N. à Évian, éclate à Alger le putsch des généraux. De Gaulle ne peut concevoir, en dépit de la crise de conscience qui tourmente de nombreux officiers et soldats, qu'un pouvoir se dresse contre le sien. Il se sent si *légitime*, par l'Histoire et par son action, que tout doit plier devant lui. Face au péril, il a la conviction que, quoi qu'il lui en coûte, chacun obéira. Il y va, selon lui, de la France. « Je crois que le peuple m'écoute. Au jour voulu, je lui demanderai s'il me donne raison ou tort. Alors, pour moi, sa voix sera la voix de Dieu. »

De Gaulle connaît à nouveau cet instant extraordinaire. Il l'a déjà vécu alors que ses camarades militaires d'active faisaient retraite sur les routes d'exode, quand, selon son expression, le président du Conseil de l'époque, Paul Reynaud, avait « mis sac à terre ». Et de Gaulle s'était rebellé contre le gouvernement légal de la France. Ce fut le fameux appel du 18 juin.

Le dimanche 23 avril 1961, selon Éric Roussel, Georges Pompidou va aux nouvelles à l'Élysée. « Il se rend directement auprès de René Brouillet, son ami. Il n'ose pas aller offrir au Général ses bons services. A quoi bon ? » Des heures terribles s'écoulent. Derrière la double porte de son bureau, de Gaulle reste enfermé avec Courcel. Quand celui-ci sort, enfin, Pompidou lui demande : « Mais pourquoi le Général tarde-t-il à intervenir ? »

« La nuit tombe sur Paris, écrit Éric Roussel, une nuit peuplée d'étoiles et vide d'avions. Dans un désordre bon enfant, des volontaires — des noctambules, des romantiques et d'anciens combattants — viennent offrir au gouvernement leurs bras fragiles et nus. »

De Gaulle prend son temps. Il a envisagé toutes les éventualités. Et maintenant, il se fait attendre. De ses fidèles anxieux réunis autour de lui et de ce grand peuple qui navigue, soudain, dans les ténèbres, conduit par un pilote muet. De Gaulle connaît leur peur latente. Il prolonge le moment de les en délivrer par le verbe. Enfin, il se décide. Il convoque les équipes de télévision et de radio à l'Élysée. Il a revêtu son uniforme pour se présenter sur les écrans et devant les micros. L'homme a vieilli. Les épreuves et les déceptions ont alourdi la paupière et la bouche d'un pli de dépit, la voix vient de très loin, et, toujours soucieux du rythme de son discours, de Gaulle procède par phrases courtes et sèches : « Un pouvoir insurrectionnel s'est établi en Algérie par un pronunciamiento militaire. Ce pouvoir a une apparence : un quarteron de généraux en retraite. Il a une réalité : un groupe d'officiers, partisans, ambitieux et fanatiques. »

Et il termine en réaffirmant qu'il incarne « la légitimité française et républicaine », et qu'il ne s'en laissera jamais déposséder. « Je la maintiendrai, quoi qu'il arrive, jusqu'au terme de mon mandat ou jusqu'à ce que me manquent, soit les forces, soit la vie, et je prendrai les moyens qu'elle demeurera après moi. Françaises, Français[...] aidez-moi ! »

☆

Georges Pompidou respire. Le Général passe dans le grand vestibule sans voir personne. Pompidou observe, le regard lucide et attentionné, le héros aux prises avec l'adversité. C'est la première fois que, dans l'action, de Gaulle rencontre une force rebelle droite et résolue dressée devant lui. Pompidou le regarde se battre dans son habit de lumière sur lequel est épinglée, toute simple, la croix de Lorraine des années de guerre. Il connaît ses intonations, ses gestes, et jusqu'à ses arrière-pensées. Il pèse au plus juste son chagrin, sa déconvenue, et sous le bel éclat des mots il entend gronder la colère comme un torrent souterrain. Il a devant lui le de Gaulle des très grands jours, celui qui n'aime rien davantage que de prendre la destinée à bras-le-corps. Aucun mot, entre eux, n'est prononcé ! L'Histoire se fait ici et se déroule dehors.

Plus tard, tandis que les hautes paroles du chef de l'État tremblent encore dans la nuit sans mystère, dissipant la fameuse homélie de Michel Debré appelant les Français à se mobiliser contre la venue éventuelle des parachutistes d'Alger, Georges Pompidou quitte l'Élysée : « Quand j'ai eu la conviction, dit-il, que de Gaulle s'était enfin décidé à s'adresser au pays, je n'ai plus eu aucune inquiétude et je suis parti tranquillement à Orvilliers... »

QUATRIÈME PARTIE

Le Premier ministre du Général

« Une fois encore la porte se referme. L'acte s'achève sur un point d'interrogation. Mais psychologiquement le dénouement est préparé. »

Georges Pompidou
(commentaire sur l'acte IV de *Britannicus*)

I

Un ministère de six mois

« En l'an de grâce 1962, fleurit le renouveau de la France. » C'est le général de Gaulle qui l'écrit neuf ans plus tard, en ouvrant le deuxième tome inachevé de ses *Mémoires d'espoir*. Et il dresse le bilan de ce renouveau qu'il a lui-même conduit, dans le tumulte et la douleur, pour conclure : « La France avait été menacée de guerre civile. Le monde oubliait sa voix. La voici tirée d'affaire. »

Pourtant, la violence est partout. Dans la nuit de la Saint-Sylvestre, à Alger, un commando O.A.S. attaque un P.C. de barbouzes situé non loin du Palais d'été et dont les occupants s'apprêtaient à célébrer le nouvel an. Quatorze hommes sont tués et deux gravement blessés.

Les attentats se multiplient à Paris. On en compte dix-sept dans les seules journées et nuits des 17 et 18 janvier. Wilfrid Baumgartner, ancien gouverneur de la Banque de France, devenu ministre des Finances, démissionne. C'est le dernier avatar du gouvernement de Michel Debré, qui, depuis, le 8 janvier 1959, n'a pas subi moins d'une quinzaine de remaniements en tout genre. C'est à cette occasion que, pour la première fois, le nom de Georges Pompidou est prononcé pour y tenir un poste important : celui que Baumgartner laisse vacant. Michel Debré témoigne : « Je propose sa succession à Georges Pompidou, il me semble, compte tenu des perspectives, que ce sera pour lui une étape. Pompidou se récuse, il sait qu'il a toute chance d'être appelé à me succéder dans le courant des mois à venir : il me donne son accord à la désignation de Valéry Giscard d'Estaing, depuis trois ans secétaire d'État. » Pompidou a dû s'en ouvrir à son père, puisque celui-ci écrit : « On a offert une place à mon fils dans le gouvernement, mais son avenir est à la banque. » Résultat : c'est Valéry Giscard d'Estaing qui, de secrétaire d'État, devient ministre des Finances et des Affaires économiques. Les deux futurs présidents de la République ont été sollicités pour le même ministère.

« On » a offert, écrit M. Pompidou. C'est Michel Debré qui a fait la proposition à Georges. Il ne peut l'avoir avancée sans s'être assuré de l'accord du Général. Pourquoi y a-t-il songé ? De Gaulle lui a-t-il, déjà, parlé de la possibilité de mettre un terme à ses trois années de présence à la tête du gouvernement ? La guerre d'Algérie prend fin. Le moment est sans doute venu de changer d'objectif, et donc de style. En tout cas, Pompidou paraît de plus en plus averti des intentions du Général. « Dès ce moment-là, dit-il, déjà, de Gaulle m'a parlé de l'éventualité de faire appel à moi pour prendre la direction du gouvernement. » Et il ajoute : « Cette proposition, je ne peux pas dire qu'elle ne m'ait pas surpris : je n'avais jamais été au gouvernement. Elle pouvait s'expliquer, à la fois par mes relations et par la confiance que le général de Gaulle m'accordait. »

Le cabinet de Michel Debré n'a plus que trois mois d'existence devant lui, et les événements, des deux côtés de la Méditerranée, se précipitent. La fièvre dévore les esprits et le sang coule dans les rues. A Paris, c'est tour à tour l'attentat manqué contre André Malraux, dont une infortunée fillette, Delphine Renard, touchée aux yeux, est l'innocente victime, puis c'est l'horreur de Charonne.

Les syndicats, le P.S.U. et le P.C., en dépit de l'interdiction gouvernementale, organisent une marche anti-O.A.S. à la Bastille. L'affrontement avec les forces de l'ordre est d'une violence inouïe au métro Charonne. Bilan officiel et contesté : 8 morts et 10 blessés chez les manifestants, 140 blessés dans la police.

L'O.A.S. se montre féroce. Un commando s'introduit au Val-de-Grâce, où a été transporté Yves Le Tac, président du comité de coordination pour le soutien de l'action du général de Gaulle en Algérie, déjà victime de deux attentats, et tente de l'achever. Un gendarme et l'un des agresseurs sont blessés. Mais la diplomatie n'est pas inactive. On s'emploie à mettre fin à l'horreur. Le samedi 10 février aux Rousses, dans un chalet du Jura, une délégation du G.P.R.A. a rencontré clandestinement des émissaires du général de Gaulle. La nouvelle n'est rendue publique que le 19.

« Que diable allait-il faire dans cette galère ? » C'est la question qu'on se serait immanquablement posée si Georges Pompidou avait répondu de façon positive à la proposition de Michel Debré. Après avoir été le premier mandataire du Général pour des missions d'investigations avec le F.L.N., détenteur privilégié de la confiance du chef de l'État, Pompidou avait été, en quelque sorte, épargné. Il n'avait pas eu à se salir les mains dans le sanglant bourbier d'Algérie. Il était de ce fait *intact* pour l'ère nouvelle qui devait s'ouvrir au printemps 1962. D'instinct, il n'avait pas sauté le pas. L'aurait-il fait si le Général en avait exprimé lui-même le désir ? Sans doute, mais avec réticence. Au fond, il semble bien que ni l'un ni l'autre ne l'aient voulu à cette époque. Le chef de l'État, au début de l'année, se serait borné à évoquer l'éventualité, future, de demander à Pompidou d'assumer la direction, sous son égide, des affaires de la France. Quelque temps plus tard, Debré lui offre un ministère clé et il essuie un refus. Reste à établir l'ordre exact des propositions et confidences des uns et des autres. Le Général a-t-il parlé d'avenir à Pompidou parce que celui-ci lui avait fait part de la démarche de Debré, ou bien le Premier ministre, apprenant ou devinant quel destin de Gaulle envisage pour Pompidou, a-t-il estimé adroit d'attirer le nouveau dauphin dans son propre gouvernement ? Dans ses Mémoires, Michel Debré écrit : « Un soir, le Général m'invitera à discuter de la personnalité qui me succédera. En fait, son choix est fait : c'est Georges Pompidou. Nous mettons au point le scénario du départ : "échanges de lettres". »

Il n'en faut pas moins constater que Georges Pompidou, au moment où reprennent entre la France et le G.P.R.A. les entretiens d'Évian, se trouve être le seul parmi les fidèles du Général à ne porter aucune responsabilité directe dans ce conflit qui n'en finit pas. Tout à la fois le destin, le général de Gaulle peut-être, la sagesse de Pompidou sûrement, y ont pourvu.

Le 20 mars, le chef de l'État annonce au Parlement qu'il s'apprête à demander au peuple français d'approuver, par voie de référendum, le projet d'accord échangé, à Évian, avec les plénipotentiaires algériens. On semble toucher au but. Pourtant, chaque jour charrie un événement grave : le 25, c'est l'arrestation du général Jouhaud à Oran ; le 26, le massacre de la rue d'Isly à Alger. Bilan : 63 pieds-noirs tués et plus de 200 blessés. Une foule française qui défilait mains nues pour témoigner en faveur des Français révoltés de Bal-el-Oued est mitraillée par les forces de l'ordre. Du côté des activistes, on conteste les chiffres et on dément la version officielle.

Le 7 avril, devant l'inexorable montée des périls, Christian Fouchet, le haut-commissaire en Algérie, s'installe à Rocher-Noir, à moins de cinquante kilomètres à l'est d'Alger, au bord de la mer. La phase finale est engagée.

Le 8 avril, les Français, à 70,90 %, approuvent le projet de loi relatif aux accords d'Évian. C'est la presque totalité du peuple qui se décharge ainsi sur le général de Gaulle du tragique problème algérien.

Le 13, à Paris, le général Jouhaud est condamné à mort. La veille, Michel Debré a donné sa démission, « l'étape algérienne étant franchie ».

Le 14, de Gaulle fait de Georges Pompidou son Premier ministre.

« Voilà donc, écrit de Gaulle, que ce néophyte du forum, inconnu de l'opinion jusque dans la cinquantaine, se voit soudain, de mon fait et sans l'avoir cherché, investi d'une charge illimitée, jeté au centre de la vie publique, criblé par les projecteurs concentrés de l'information. Mais, pour sa chance, il trouve, au sommet de l'État, un appui cordial et vigoureux [...] et, dans le pays, une grande masse de gens disposés à approuver de Gaulle. » Ces phrases, plusieurs fois reprises et dont tous les termes ont été soigneusement pesés, sont écrites plus tard, loin des événements et dans l'isolement et la hauteur de l'exil volontaire. Cette nomination répond aux trahisons et aux tiédeurs accumulées, ici et là, durant les années difficiles. En lançant la carte Pompidou, de Gaulle sanctionne ses fidèles approximatifs comme il punit ses adversaires inconditionnels, tous ceux qui, à ses yeux, appartiennent à la même race, quelles que soient leurs opinions, celle des *politiciens*.

De fait, maintenant que la grande peur, toujours la même, celle de 1940 comme celle de 1958, semble s'éloigner, les éternels ennemis sortent de leurs prudentes retraites pour se disputer les places. La France, débarrassée de l'hydre algérienne, redevient une proie convoitée. On songe déjà à se défaire d'un chef, hier tenu pour indispensable. Choisir un chef de gouvernement parmi des gens qui spéculent ainsi ? Il n'en est pas question.

De Gaulle, une fois de plus, déconcerte : il sort Pompidou de sa manche.

Et Pompidou, dans quelle disposition d'esprit aborde-t-il cette phase, capitale, de sa destinée ? Il en fait totalement l'impasse dans son ouvrage *Pour rétablir une vérité*. La table des matières est à cet égard surprenante. La deuxième partie traite de la période 1949-1955, et elle est suivie de documents et d'annexes ; la troisième commence en mai 1968. Entre les deux, rien. Comme si sa présence à la deuxième charge de l'État, aux côtés du personnage illustre et désormais contesté, ne relevait que de l'Histoire seule. Il faut peut-être chercher ailleurs un commencement de réponse, dans cette phrase sibylline écrite par l'intéressé, en 1962 : « Il vient un moment dans la vie où l'on est prisonnier de son destin. »

☆

Le 20 avril, le général Salan, chef de l'O.A.S., est arrêté à Alger. Sur les derniers rebelles, le filet se resserre. L'heure des comptes a sonné.

Qu'éprouve alors Pompidou ? Sans doute s'interroge-t-il. Au moment où la rigueur et la vengeance vont s'exercer sur des généraux qui ont désobéi à l'État, de Gaulle va-t-il se souvenir de 1940, lorsqu'il s'était lui-même, par patriotisme, placé hors la loi ? Fera-t-il sa place au pardon ? Pétain, à Vichy, n'avait-il pas fait inscrire sur la condamnation à mort de De Gaulle, « à ne pas exécuter » ? Ni l'homme ni la sentence. Alain de Boissieu déclare : « Georges Pompidou et moi étions contre l'exécution. Je suis intervenu auprès du Général à l'Élysée, et, comme nous marchions dans le jardin, Charles de Gaulle m'a dit : "Voyons, Alain, est-ce que j'ai une tête à faire fusiller Jouhaud... qui a été français libre ?" A sa demande, j'ai même écrit à Jouhaud. »

Le nouveau Premier ministre peut se dire que la main de justice appartient au monarque et qu'il a, lui, la charge de remettre la France en civil et de travailler à son avenir. Mais la réalité algérienne ne cesse de frapper à la porte. Comme l'écrit de Gaulle dans ses Mémoires : « Les rapatriés d'Afrique posent un problème sans précédent par sa dimension numérique et son importance nationale. »

Le 27 avril, Georges Pompidou, en présentant son ministère, prononce un discours-programme. Il commence ainsi : « Depuis des années, la politique de notre pays est dominée par la guerre d'Algérie... », puis il poursuit : « Hélas ! les réalités humaines, historiques, géographiques ne permettent que rarement aux raisons du cœur de prévaloir seules », pour conclure : « L'heure des regrets est révolue. Tournez-vous vers l'avenir. Ne le compromettez pas par des actes désespérés. » Il obtient la confiance de 259 députés contre 128 et 129 abstentions.

Dans les notes encore inédites qu'il a rassemblées sur la période, Jacques Chirac écrit de « Monsieur Pompidou » : « Je crois l'avoir bien ressenti. Il ne souhaite pas faire irruption dans la vie politique et le poste de Premier ministre, il l'avait, une première fois, refusé à de Gaulle, l'année précédente. La seconde fois, il lui était apparu inconvenant de décliner l'honneur que le général de Gaulle lui faisait. Cette charge s'inscrivait à l'opposé même de toute son ambition personnelle dans laquelle la part consacrée à la vie familiale était primordiale. Elle l'éloignait aussi de cette liberté, un peu anarchisante, qu'il aimait pratiquer, sachant toujours l'inscrire au cœur du solide bon sens inaliénable, qui — il le savait — le protégeait de la tentation des joutes intellectuelles qu'il savourait volontiers. »

☆

Les premiers jours de mai se déroulent à une cadence infernale et sont marqués par les ultimes soubresauts de la terreur en Afrique du Nord. Le 2, une explosion dans le port d'Alger fait 62 morts et 110 blessés. Mais à Paris, le 13 mai, date anniversaire du putsch, il y a foule à la finale de la coupe de France de football, au Parc des Princes, qui voit la victoire (par 1 à 0) de Saint-Étienne sur Nancy. La *Mare Nostrum* sépare décidément deux mondes qui n'avancent plus à la même vitesse, ni dans la même direction.

Le 15 mai, le général de Gaulle tient une conférence de presse. Il excelle, on le sait, dans cet exercice. Il finit sur ces mots délibérément déconcertants : « Vous vous demandez ce qui arrivera quand de Gaulle aura disparu ? Eh bien, je vais vous dire ceci qui, peut-être, vous expliquera dans quelle direction, à cet égard, nous allons marcher : ce qui est à redouter, à mon sens, après l'événement dont je parle, ce n'est pas le vide politique. C'est plutôt le trop-plein ! » Le chef de l'État annonce tout net ses intentions. Il trace sa route sans se soucier des tumultes qu'il provoque et sans tenir compte des remous qu'il suscite au sein du gouvernement fraîchement investi. Il se prononce pour une force de frappe française et déclare tout de go son refus d'intégrer la France dans l'Europe multinationale. Cinq ministres M.R.P. quittent aussitôt la barque que Georges Pompidou vient à peine de mettre à la mer.

« Il est vrai, observe cruellement de Gaulle, que deux d'entre eux, Pierre Pflimlin et Maurice Schumann, qui n'y sont que depuis un mois et qui doivent d'ailleurs, ce jour-là même, opter entre leur portefeuille de ministre et leur siège parlementaire, peuvent affecter d'être surpris par mes propos. Mais les trois autres ? » Il les cite — Robert Buron, Paul Bacon et Joseph Fontanet — et rappelle qu'ils n'ignoraient rien « du fond et de la forme des directives qu'il avait toujours données, puisqu'ils avaient fait partie, sans interruption, de son gouvernement ».

Georges Pompidou se trouve contraint, le jour même, de raccommoder son équipe avant d'affronter le lendemain l'une des plus dures épreuves de son mandat : le procès du général Salan, qui vient de s'ouvrir à Paris. La liquidation de l'espérance des partisans de l'Algérie française domine encore, à bien des égards, la politique nationale. Imperturbable, de Gaulle fait passer sa justice, et il assigne à la France, à haute voix, une place à part dans le concert des nations. Sans doute tient-il rancune à celles-ci de s'être, pour la plupart, réjouies de mettre le « cher et vieux pays » en accusation devant l'univers tout au long du chemin de croix algérien.

L'O.A.S., les instances internationales et les parlementaires français : voilà bien le catalogue des adversaires traditionnels du Général, et il a résolu de ne ménager ni les uns ni les autres. Des deux côtés, les coups redoublent. Le Général a décidé de les ignorer. Il suit son chemin et prépare la prochaine étape.

« Au mois d'avril, observe Pierre Viansson-Ponté, l'Algérie est indépendante, la France aussi. Elle n'a plus de guerre à mener, de colonie à mater, de protectorat américain à subir, ni de comptes à rendre devant le Tribunal des Nations. Son prestige est restauré, le tiers monde ouvert, l'armée ramenée à la discipline. Elle peut aborder sans complexes et sans craintes la construction de l'Europe, le débat international, la révolution scientifique qui s'annonce. Elle a les mains libres. »

☆

La France, peut-être, pas Georges Pompidou. « Ayant éprouvé depuis longtemps, rappelle de Gaulle, sa valeur et son attachement, j'entends, maintenant, qu'il traite comme Premier ministre les questions multiples et complexes que la période qui s'ouvre va nécessairement poser. » Étienne Burin des Roziers, secrétaire général de la présidence de la République, observe de son côté : « Fondant sa propre autorité sur celle du général de Gaulle, Georges Pompidou n'éprouve pas la nécessité de l'affirmer ostensiblement. »

Il n'empêche que le voici placé en première ligne au moment le plus critique. Il est, certes, protégé par le grand chef, mais celui-ci fait le ménage au-dessus de lui sans se préoccuper des retombées sur son gouvernement. Jamais le précepte gaullien : « l'intendance suivra » n'a mieux été mis en application. Et le Général n'y va pas de main morte : « Pour abréger le combat d'usure, je prends les devants et l'offensive. Le 9 juin, parlant à la radio, j'annonce à la Nation que "par la voie du suffrage universel, nous aurons, au moment voulu, à assurer que dans l'avenir, et par-delà les hommes qui passent, la République puisse demeurer forte, ordonnée et continue". » Et il ajoute comme pour lui-même : « Il n'est point d'augure qui ne comprenne ce que cela signifie. »

De Gaulle apprécie entre toutes les périodes de l'histoire où *le caractère* prend le pas sur les autres vertus et où, selon le mot de Georges Duhamel, « l'odeur du monde a changé. On dirait que la composition de l'air qu'on respire n'est plus la même ». Naguère, officier rétif et ombrageux, il l'a analysé dans un article intitulé « Du caractère » : « La difficulté attire l'homme de caractère, car c'est en l'étreignant qu'il se réalise lui-même. Mais qu'il l'ait ou non vaincue, c'est affaire entre elle et lui. *Amant jaloux, il ne partage rien de ce qu'elle lui donne ni de ce qu'elle lui coûte. Il y cherche, quoi qu'il arrive, l'âpre joie d'être responsable.* »

Aucune phrase ne peut mieux marquer, en ce début d'été 1962, les positions respectives de Charles de Gaulle et de Georges Pompidou et le partage des responsabilités que le chef de l'État a résolu d'établir entre son Premier ministre et lui-même. « Voyez-vous, confiera de Gaulle un peu plus tard, je ne suis pas un politicien de profession. Si je me suis intéressé à la vie politique de mon pays, c'est à cause de tout ce que j'ai vu depuis plus de trente ans. » Et d'énumérer les hommes politiques de valeur de gauche ou de droite : « Clemenceau, Poincaré, Briand, tour à tour balayés », pour conclure : « C'est pourquoi, monsieur, je me suis senti triste et angoissé [...] quand je vois certains revivre avec exaltation l'atmosphère des crises d'autrefois. »

« Quand Pompidou avait accepté, observe Jacques Chirac, il avait pesé tout cela. Il avait déjà prouvé qu'il était un homme d'État, mais, à l'époque, seuls le Général et lui étaient en mesure de le savoir. De Gaulle l'avait jugé comme tel lors des négociations avec le F.L.N. Depuis, il le regardait agir, il l'observait, il le choisissait lentement. » Sans doute avait-il apprécié, successivement, sa disponibilité et son aptitude dans les missions exceptionnelles et sa réserve à l'égard des postes ministériels où il n'avait pas grand-chose à prouver.

Mais, pour l'heure, de Gaulle est aux commandes. Il connaît son monde. Il sait que plus les périls s'éloigneront, plus l'ambition des uns et des autres s'affirmera à nouveau. Il ne néglige pas non plus l'appoint que lui apporte, encore, le pathétique des événements. En témoigne la création, le 1er juin, de la Cour militaire de justice confiée au général de Larminat, ancien de l'épopée de la France libre. Au confluent de ces courants tumultueux, de Gaulle « mijote » l'avenir. Avant tout, réformer la Constitution.

Le regard obstinément fixé vers son objectif, bien résolu à ne pas être distrait, le Général, pour le reste, se repose sur Georges Pompidou. Il ne lui facilite pas la tâche. Le 13 juin, 296 députés se réunissent à l'Assemblée nationale pour se déclarer « européens » et réclamer, contre le vœu du président de la République, une communauté supranationale. S'y ajoute, lorsque, du fait de l'accession de l'Algérie à l'indépendance, il est mis fin au mandat des parlementaires des

trois départements nord-africains, un « ouragan de protestations » au Palais-Bourbon et au Luxembourg.

Pompidou doit éprouver le sentiment de la précarité de sa
position. Il ne lui est pas accordé le moindre délai pour
l'établir, la justifier et la consolider. Il peut craindre, faute
d'appartenir au milieu politique où sa nomination l'a plongé,
de se voir reprocher ce que l'on sait sur lui de plus récent :
« Ses attaches — selon le mot de Burin des Roziers — avec
une grande dynastie financière parée d'une renommée
mythique. » Par ailleurs, la vieille accusation se remet à cir-
culer, selon laquelle de Gaulle s'adonnerait, au mépris de
tous les usages républicains, à « l'exercice solitaire du
pouvoir ».

Le fossé se creuse de lui-même entre les deux hommes.
Pompidou est pris au piège. S'il « colle » de trop près au
Général, on l'accusera d'être son factotum et d'ignorer la
représentation parlementaire. S'il joue cavalier seul — et le
peut-il ? — on concentrera sur lui les flèches qu'on n'ose
pas encore décocher au chef de l'État.

La liquidation judiciaire de l'O.A.S. ajoute une note tragique au paysage tourmenté de ce printemps 1962 : le
23 mai, Salan, à la grande colère de De Gaulle, est condamné
à la détention à vie alors que son second, Jouhaud, pied-noir
d'origine, a été condamné à mort ainsi que Degueldre, le
chef des commandos Delta. Le 1er juillet, un référendum en
Algérie même consacre son indépendance. Le soir, le général
de Larminat, président de la Cour militaire de justice, se
suicide. Il laisse à de Gaulle une lettre explicite et haute :
« 30 juin 1962, Mon Général, je n'ai pas pu, physiquement
et mentalement, accomplir le devoir qui m'était tracé. Je
m'en inflige la peine, mais je tiens à ce qu'il soit su que
c'est ma faiblesse et non votre force et votre lucidité qui en
sont la cause. Respectueusement dans le souvenir des
grandes heures de 1940. » Deux jours plus tard, c'est le

début de la déferlante des rapatriés. Le drame devient collectif et envahit le sud de la France. Le 6 juillet, Degueldre est exécuté dans des conditions particulièrement atroces. L'air, partout, devient irrespirable.

☆

Ne pouvant atteindre juridiquement le chef de l'État, ne souhaitant pas son départ dans une conjoncture aussi sombre, de nombreux parlementaires, légataires universels de la IVe République, n'ont d'autre cible pour calmer leur impatience que le Premier ministre. Pierre Viansson-Ponté écrit : « M. Pompidou consulte, négocie avec le M.R.P. qui pose ses conditions, avec M. Edgar Faure qui va prendre l'avis de ses amis radicaux. » A Marseille, trois cent mille réfugiés s'entassent. On couche sur la Joliette et sur la Canebière. L'été est dur aux déracinés. Ce n'est pas tout. La France de la campagne se mutine dans l'Ouest, « dans une atmosphère de jacquerie ». Georges Pompidou réagit partout avec pragmatisme. Il organise, tant bien que mal, le retour massif des Français d'Algérie. Sur son ordre, les C.R.S. remplacent aux guichets des aéroports les personnels d'Air France, et des navires de la Marine nationale sont affectés aux rotations accélérées entre Alger, Bône, Oran et la métropole. Les rapatriés sont la priorité humaine des premières semaines du nouveau gouvernement. Pompidou récuse le plan que ses ministres ont conçu et qui consistait à les cantonner dans le midi de la France.

Ainsi s'établit, vaille que vaille, et sous la pression permanente des faits, la première complémentarité « officielle » entre Charles de Gaulle et Georges Pompidou.

Au Premier ministre incombe la gestion écrasante d'un quotidien douloureux, rougi par le sang et les pleurs d'une rupture désormais consommée. Au président de la Répu-

blique revient l'analyse et l'accouchement aux fers d'un avenir incertain : la Constitution, l'Europe, la dissuasion
nucléaire et le nécessaire rapprochement franco-allemand.

Les périodes des grandes migrations précipitées entraînent
immanquablement les contagions. Parmi les malheureux
émigrants qui débarquent dans les ports de la Méditerranée
se sont faufilés quelques activistes pressés de quitter la terre
brûlée. Ils ont le cœur et la tête bouillonnants de rancune.

Pour les plus déterminés d'entre eux, l'heure de la vengeance a sonné.

Le gouvernement de Georges Pompidou, en dépit du tragique quotidien de la situation, passe par une sorte d'en-
tracte, tant on s'était accoutumé, durant des mois, au fonctionnement de l'État sous la férule de l'article 16 prévu dans
la Constitution en cas de circonstances exceptionnelles.

Le Premier ministre, le 1er août, inaugure à la télévision
ce qu'il appelle ses « conversations au coin du feu ». Le titre
même confirme la distance entre les allocutions ou conférences de presse du Général et les apparitions, délibérément
familières, de Pompidou. Elles sont enregistrées à l'avance
et le texte en est distribué aux journaux.

« Quand je me suis présenté devant l'Assemblée nationale,
dit le Premier ministre, j'ai fait une déclaration longue,
détaillée... » Il rappelle qu'elle s'est conclue par un vote de
confiance et, au fil de ses confidences, il rétablit, d'emblée,
en quelque sorte, le vocabulaire parlementaire. « Plus de cent
orateurs sont montés à la tribune. » « La loyauté dont parlait
ma déclaration d'investiture. » Il dit plutôt la « Chambre »
que « l'Assemblée nationale ». C'est, dirait-on, la paix politique revenue.

Le 22 août, la nouvelle que le général de Gaulle a échappé
à la mort éclate comme un coup de tonnerre. La présidence
de la République publie un bref communiqué. « Un attentat
a été dirigé contre le général de Gaulle, ce jour, en fin

d'après-midi. Le président de la République, accompagné de Mme de Gaulle et de son gendre, le colonel de Boissieu, regagnait Colombey à l'issue du Conseil des ministres lorsque sa voiture a essuyé plusieurs rafales d'armes à feu qui ont brisé la vitre arrière et crevé deux pneus. Aucun des occupants de la voiture n'a été atteint. »

Petit à petit, des indiscrétions filtrent. On apprend qu'en arrivant sur la piste de Villacoublay au pied de la passerelle du S.O. Bretagne qui doit le conduire avec sa famille à Colombey, le général a déclaré : « Personne n'a rien eu ? Cette fois, c'était tangent ! » D'autres phrases sont attribuées à Mme de Gaulle, au général de Boissieu ou à de Gaulle lui-même. On précise que sur les cent cinquante balles tirées, une douzaine ont atteint la voiture du chef de l'État et que l'une d'elles l'a frôlé avant de s'enfoncer dans le dossier à hauteur de la tête. De toutes parts, les chefs d'État adressent des télégrammes d'indignation et d'attachement. « Dieu vous a protégé », dit Adenauer.

Le témoignage le plus direct que l'on possède sur le sentiment du Général à l'égard de l'événement est la lettre qu'il adresse, un mois plus tard, à sa sœur, Mme Alfred Caillau, à Sainte-Adresse (Seine-Maritime).

« Ma chère Marie-Agnès,

« Rentré d'Allemagne, je puis aujourd'hui t'écrire combien m'a touché ta lettre du 23 août. Il est de fait que l'attentat aurait dû naturellement amener la disparition des quatre occupants de notre voiture. Pour moi, c'eût été une "sortie" très convenable. Mais je remercie Dieu d'avoir voulu qu'Yvonne, Alain de Boissieu et le brave chauffeur aient été épargnés. » Et il signe : « Ton frère aimant, Charles. »

Il n'empêche que l'âpreté et le sérieux de l'attentat ont impressionné de Gaulle. D'autant que la pression, loin de diminuer, s'accroît. Un tract circule chez les parlementaires :

« Aujourd'hui ou demain, envers et contre tous, le traître de Gaulle sera abattu, comme un chien enragé. »

Le Général prend conscience de la fragilité de son destin, de la haine qu'il suscite, et, comme s'il craignait de ne plus avoir le temps devant lui pour accomplir sa tâche, il durcit sa manière de gouverner.

Le 10 septembre, il rédige une note, impérieuse, « pour MM. Pompidou, Messmer et Couve de Murville ». La voici dans sa sécheresse : « Je ne puis admettre qu'une "décision" du Premier ministre, datée du 28 mars dernier, ait accordé à l'O.T.A.N. la construction d'un P.C. de guerre à Vermenton sans que j'ai eu à entériner la chose. *Il s'agit de souveraineté.* Je n'accepte naturellement pas qu'aucune décision soit prise par qui que ce soit, sinon par moi-même. »

Jamais, semble-t-il, le ton n'a été plus catégorique. La « décision » du Premier ministre a été mise entre guillemets. De Gaulle, pour être sûr d'être bien compris, prend soin de rajouter « par qui que ce soit » — ce qui est on ne peut plus explicite.

Comme toujours, dans ces heures de ténèbres, de Gaulle éprouve le besoin de se ressourcer auprès des Français. Le moment lui semble venu d'en appeler au peuple pour y puiser sa propre légitimité. Le président de la République, élu jusqu'alors par le Congrès, c'est-à-dire par les deux chambres réunies à Versailles, pourrait désormais être désigné par le suffrage universel.

L'idée à peine formulée — de Gaulle y songeait depuis longtemps —, les réactions sont vives. Pierre Viansson-Ponté cite Caton l'Ancien qui s'exclamait, devant le Sénat de Rome : « Le héros nous sauve. Louons-le. Mais qui va se lever pour nous sauver du héros ? »

Le 28 septembre, de Gaulle écrit à Pierre Sudreau, le ministre de l'Éducation nationale de Pompidou, qui lui a fait part de sa décision de démissionner : « Vous m'avez fait valoir, dans votre lettre du 24 septembre, les raisons pour lesquelles vous désapprouvez le projet de loi que je me dispose à soumettre au pays, par voie de référendum, quant au mode d'élection du président de la République et vous m'avez demandé de mettre fin à vos fonctions de ministre. Je vous donne acte de votre désaveu ainsi que des motifs qui, à vos yeux, peuvent l'expliquer [...]. Après avoir consulté le Premier ministre, je crois devoir envisager pour le début de novembre la date à laquelle j'aurai le regret de mettre fin à vos fonctions. »

Le gouvernement n'atteindra pas cette échéance. Le 5 octobre 1962, à 1 heure du matin, il est renversé par 280 voix sur 480. La crise est ouverte.

Georges Pompidou s'était présenté à l'Assemblée nationale le 27 avril. Il quitte Matignon et rentre chez lui. L'expérience n'aura pas duré six mois.

II

« Dans la cinquième année
de son âge[1] »

Dans *Pleins pouvoirs*, Jean Giraudoux fait cette observation ironique et désabusée : « Ce sont les chefs de l'époque du déluge pour qui la tâche politique a été la plus simple. C'est l'état normal en ce bas monde qu'il est difficile de conserver et d'acquérir. » La remarque s'applique à merveille à la période qui suit la chute du gouvernement de Georges Pompidou, auquel le Général a demandé de rester en place jusqu'au référendum et aux élections législatives qui le suivront, puisque l'Assemblée nationale a été dissoute.

La France est en crise politique donc, en quelque sorte dans son « état normal », du moins si on l'examine sous l'angle des institutions de la IIIe République. Le refus de voter la confiance à Georges Pompidou en a été, en quelque sorte, le lever de rideau. Selon son habitude, de Gaulle a décidé de brûler les étapes. Le 26 octobre 1962, deux jours avant le référendum, il s'adresse, de l'Élysée, aux Françaises et Français : « Après-demain, leur dit-il, en toute clarté et en toute sérénité, vous allez, par votre vote engager le sort du pays.

« La question, qu'en ma qualité de président de la République, et m'appuyant sur la Constitution, je pose aux

---

1. De Gaulle intitule ainsi dans ses *Mémoires d'espoir* (t. 2) l'année 1963, cinquième de la Ve République.

citoyens français est aussi nette et simple que possible : "Voulez-vous, dorénavant, élire vous-mêmes votre président au suffrage universel ?" »

Le ton est ferme et les mots sont clairs. Il s'agit d'accoucher, au grand jour, et en dépit des accusations de plébiscite jaillies çà et là, d'un véritable *chef de l'État* pour la France. De Gaulle estime que, pour en être un, il faut être choisi par le peuple lui-même. Au passage, il rappelle les menaces qui pèsent sur sa vie et insiste sur la nécessité, pour l'avenir, *après lui,* « de marquer, par un scrutin solennel, que, quoi qu'il arrive, la République continuera, telle que nous l'avons voulue à une immense majorité ». Parlant des « partis de jadis » qui font campagne pour le « non », et de « tous les factieux », il évoque la confusion qui pourrait naître de sa mort ou de sa défaite et qui serait « leur ignoble chance ». Enfin, il envisage, pour l'écarter aussitôt, l'hypothèse où la nation française, devant elle-même et devant le monde, « en viendrait à renier de Gaulle ou même ne lui accorderait qu'une confiance vague et douteuse ». Solennellement, il conclut qu'il s'agit de décider du destin de la France.

Le 28 octobre, le « oui » l'emporte par plus des trois cinquièmes des suffrages exprimés (13 150 516 contre 7 974 538).

De Gaulle aurait reconnu plus tard : « Ce référendum de 1962, il n'emballait pas mon Premier ministre ! » Il est vrai que, lors du Conseil des ministres du 19 septembre, Georges Pompidou, tout en apportant son appui au projet de référendum, était parfaitement conscient que la consultation populaire directe serait ressentie par la classe politique comme une déclaration de guerre. Le président du Sénat, Gaston Monnerville, n'avait pas mâché ses mots. Évoquant le vote de défiance contre le gouvernement qui avait amené la démission de Pompidou, il avait déclaré : « La motion de censure m'apparaît comme la réplique directe, légale, constitutionnelle, à ce que j'appelle une forfaiture. » De Gaulle n'en remporte pas moins la première manche. Restent les élections législatives.

☆

Elles ont lieu les 18 et 25 novembre.

Auparavant, le 7 novembre, dans une nouvelle allocution télévisée, le Général, sans doute un peu déçu par le résultat du référendum, enfonce davantage le clou et se fait de nouveaux ennemis. « On s'en était clairement et terriblement aperçu [de la nocivité du régime de partis], s'exclame-t-il, quand, en 1940, le régime [...] abdiqua dans le désastre. On l'avait de nouveau constaté en 1958, lorsqu'il me passa la main au bord de l'anarchie, de la faillite et de la guerre civile. On vient de le vérifier en 1962. »

Ses fidèles, surtout ceux qui vont se lancer dans la campagne législative, doivent tressaillir d'aise et d'inquiétude mêlées. De Gaulle joue gros jeu. Il remercie les Français qui, le 28 octobre, ont « scellé la condamnation du régime désastreux des partis » et les convie, les 18 et 25 novembre, à voter pour ceux qui ont recommandé de répondre « oui » au référendum. Il insiste plus qu'il ne l'a jamais fait et va jusqu'à demander que soient préférés les candidats se réclamant de lui, « en dépit, le cas échéant, de toutes habitudes locales et considérations fragmentaires ».

Les partis d'opposition, unis dans le « Cartel des non », obtiennent les résultats suivants : Parti communiste, 41 élus ; S.F.I.O., 66 ; Rassemblement démocratique (tendance radicale), 39 ; Centre démocratique (M.R.P. et modérés), 59. Soit 205 élus en tout et plus de 13 non-inscrits. L'Union pour la nouvelle République (U.N.R.), à elle seule, obtient 233 sièges, et le groupe des Républicains indépendants (modérés favorables au Général), 35.

Le 2 décembre, de Gaulle écrit à Mme Jacques Vendroux, à Calais :

« Ma chère Cada,

« Le résultat du référendum n'atteignait pas mon espoir. Celui des élections l'a dépassé. Jacques a vraiment triomphé à Calais.

« Votre frère. »

☆

Le même jour, il rédige une note pour Georges Pompidou et Maurice Couve de Murville, qui sont restés à leur poste en attendant la nomination d'un nouveau Premier ministre et ont la charge des affaires courantes : « Je considère comme inadmissible pour nous le fait que M. [...] reprenne son poste à la commission de Bruxelles. » Il en donne brièvement les raisons. « L'homme contesté a fait campagne pour le "Cartel des non", et, de ce fait, a dérogé à son caractère d'impartialité, perdu la confiance du gouvernement français, puisqu'il a affiché une position d'hostilité à mon égard. » De Gaulle conclut : « Au total, c'est le moment de faire voir et comprendre au personnel "international" d'origine française que nous n'admettons pas qu'il se fiche du monde ! »

C'est un chef d'État nouveau qui a reçu l'onction du suffrage universel comme, autrefois, les capétiens recevaient le saint chrême en la cathédrale de Reims. Il n'est plus de Gaulle, il est la France. Elle doit, selon lui, se montrer exigeante parce qu'elle est, enfin, elle-même. On a l'impression que, passé le moment le plus critique du drame algérien, effacés de l'esprit les attentats contre sa personne, ayant enfin, par le peuple lui-même, obtenu la défaite des « partis » et des « factieux », de Gaulle règne en monarque républicain. En même temps qu'il tient tout entre ses mains, il donne, par sa façon même de gouverner, un cours magistral de chef d'État moderne et adapté à la dureté du siècle. Dans cette optique, il lui est de plus en plus nécessaire d'avoir à ses côtés Georges Pompidou.

Il y a eu, l'année précédente, durant le ministère de six mois, une alerte sérieuse entre le Normalien et le Soldat. C'est « l'affaire Jouhaud ». Elle s'est produite cinq semaines après que Pompidou eut fait son discours d'investiture. Le général Salan n'est pas condamné à mort par le haut tribunal militaire. Des généraux « putschistes » dont il était le chef, seul Jouhaud a été condamné à la peine capitale. De Gaulle, que la sentence modérée prononcée par la justice contre Salan a mis en fureur, réclame l'exécution du général « pied-noir », afin de compenser ce qu'il appelle le « mauvais coup » porté par ce jugement à l'autorité de l'État. Or, Pompidou, en se présentant devant l'Assemblée nationale, avait parlé d'« apaisement » et déploré que « les raisons du cœur » ne puissent que très rarement « prévaloir seules ». Avec quelques autres, ministres ou compagnons, le Premier ministre va donc s'entremettre pour sauver Jouhaud. C'est conforme à la fois à sa vérité intérieure et à sa conviction que le bien public commande le pardon. Il parvient finalement à vaincre la résistance du Général, qui, au dire d'Alain de Boissieu, n'avait pas l'intention d'ordonner l'exécution mais qui jouait jusqu'au bout de cette menace. Le 4 octobre, devant l'Assemblée, Pompidou déclare : « J'ai prouvé, dans le peu de temps que j'ai passé à ce jour dans les fonctions de Premier ministre [il est *à la veille* d'être renversé], que j'étais prêt à les quitter s'il se posait pour moi une question que je jugeasse de conscience. »

De Gaulle, qui a cédé à regret, n'oublie pas. Cela ne l'empêche pas — au contraire —, dès le 27 novembre suivant, de publier un décret qui nomme, à nouveau, Georges Pompidou Premier ministre.

☆

L'année 1963 commence donc avec un deuxième gouvernement Pompidou. En feuilletant les notes et les carnets du Général, on constate que pour lui l'heure de Némésis a sonné : les dieux se vengeront de ceux qui, à leurs yeux, ont péché par démesure. On dirait que l'élection du président de la République par le peuple l'assimile presque physiquement à la France. Par voie de conséquence, qui touche à la nation combat de Gaulle, et qui combat de Gaulle touche à la nation. Le 15 janvier, dans une « Note pour MM. Pompidou, Foyer et Messmer » (Jean Foyer, aussi, s'était entremis en faveur de Jouhaud l'année précédente), de Gaulle indique de la façon la plus formelle : « L'attentat du Petit-Clamart doit être jugé par la Cour militaire de justice. J'ai décrété que cette Cour en était saisie. Le fait qu'on ne lui a pas notifié le décret est illégal et inacceptable. Il faut que cette obstruction cesse séance tenante. Le procès peut et doit avoir lieu devant la Cour militaire de justice sans délai. » Et il menace : « Faute de quoi, je serais amené *à tenir pour démissionnaires tous ceux, quels qu'ils soient, qui ont manœuvré et manœuvrent pour qu'il en soit autrement.* »

Dix jours plus tard, dans une note à Georges Pompidou seul, de Gaulle s'en prend à « certains politiciens, marqués par la faveur, et, peut-être, le concours qu'ils ont apporté à la subversion », et demande à son Premier ministre de veiller à ce qu'ils soient « écartés » du Conseil d'État.

Il ne faut pas s'y tromper. De Gaulle ne règle pas *ses* comptes : il met de l'ordre dans une maison où il est désormais *légitime*. Il a déjà agi ainsi chaque fois que, jeune officier, il prenait un nouveau commandement.

Quoi qu'il en soit, les premiers mois de l'année 1963 sont, en grande partie, consacrés à ce nettoyage de printemps.

Parmi les soucis permanents du Général, outre l'éloignement des subversifs, il y a les grands corps de l'État (« il s'agit de réformer le Conseil d'État et de faire cesser le scandale »), le comportement des ministres (« je désire être informé à l'avance de leurs déplacements à l'étranger et de leur objet ») et la justice. Le 17 février, il écrit à Mᵉ Maurice Garçon, de l'Académie française, qui lui a adressé son livre, *L'Avocat et la morale :* « A mon sens, c'est éloquent, non point équitable. » Et il note dans ses carnets :

« — Pourquoi ne cite-t-il pas la Haute Cour ?

— Pourquoi pas les conseils de guerre ?

— Pourquoi pas la Chambre de Paris ?

— Pourquoi pas le Tribunal militaire ?

— Pourquoi pas de différence entre les tribunaux spécialisés et les tribunaux d'exception ? »

Parfois il insiste pour associer son Premier ministre aux mesures qu'il préconise : « Je vous demande de faire connaître ceci aux membres du gouvernement, *assuré que je suis que vous partagez ma manière de voir.* »

Mais l'essentiel de ses préoccupations — outre les hautes tâches quotidiennes de l'État — va à l'information des Français. Dans ce domaine, les courriers à Alain Peyrefitte qui en a la charge se succèdent.

2 février :

« Je ne puis comprendre vraiment et pourquoi la R.T.F. a donné hier soir le spectacle vraiment odieux d'une opération sans anesthésie. C'est une vile réclame, tant pour les gens de "Cinq colonnes à la une" (pour qui rien ne vaut que l'horreur et le sang) que pour tels médecins "m'as-tu-vu ?"

et que pour une certaine équipe effrénée de la télévision elle-même.

« Plus que jamais il apparaît que la R.T.F., placée sous la tutelle directe de l'État et payée par lui, est une espèce de fief livré aux "lobbies" et incontrôlé. »

18 février :
    « L'information à la télévision est attachée :
    — au pittoresque
    — au pessimisme
    — à l'individualisme
    — à l'opposition. »
    Et, désormais, les notes s'accélèrent.

3 mars :
    « J'approuve ce que M. Peyrefitte propose de faire quant à la réforme du journal télévisé. Mais pour "le faire", il est nécessaire de nettoyer la maison de fond en comble, ce qui implique des mises en congé nombreuses, et, sans doute, une épreuve de force momentanée. » Et, plus loin : « Rien ne serait plus mauvais que de mettre quelques nouveaux emplâtres sur cette jambe malade en tâchant d'éviter encore une fois l'opération. »

Le lendemain, 4 mars :
    En marge de la note à Alain Peyrefitte, de Gaulle inscrit quelques citations de grands moralistes, parmi lesquelles celle de Chamfort :
    « Il y a deux vérités qu'il ne faut jamais séparer en ce monde : que la souveraineté réside dans le peuple, que le peuple ne doit jamais l'exercer. »

3 avril :
    « Le journal télévisé retourne à son fond et à sa forme d'avant.

« Aujourd'hui, il n'y est question que des grèves, revendications et agitations : agriculteurs ou employés de commerce de Seine-et-Oise... Le lait a augmenté de 4 centimes à la consommation... Voilà ce qui s'est passé et ce qui se passe en France ! Le tout "exposé" par un "journaliste" qui n'a, évidemment, aucune directive, ou qui, s'il en a, n'en tient aucun compte. »

Je crois entendre la voix du Général, à Colombey, quand il me recevait pour l'édition de ses *Discours et messages* ou de ses *Mémoires d'espoir*. A table, un jour, Pierre-Louis Blanc, son homme de confiance, avait évoqué le feuilleton « Lagardère », avec Jean Piat. De Gaulle s'était tourné vers moi : « Ah ! C'était vous ? C'était très bien, ça, "Lagardère", c'était tonique. C'était bon pour les Français. » Et il avait ajouté (pardon Stellio !) : « Ce n'est pas comme "Jacquou le Croquant" ! Je connais bien Lorenzi. C'est un sectaire ! »

Pour de Gaulle, le service public devait *servir* le public. Et, bien sûr, en homme du XIXe siècle, il pensait que le servir c'était le guider vers ce qu'il estimait être le bien du pays.

C'est sans doute durant ces premiers mois du deuxième gouvernement Pompidou que le fossé se creuse le plus entre le chef de l'État et le Premier ministre. La confiance et la fidélité demeurent, mais les principes d'action s'écartent.

Jamais de Gaulle n'a été plus « agacé » par la presse. Le journal *Le Monde* l'insupporte. Il rédige les brouillons de communiqués de la présidence pour dénoncer l'usage fallacieux que font certains journalistes de « conversations privées auxquelles ils n'assistent pas », ironise sur « les gloses relatives à des phrases prétendument prononcées », et accuse *Le Monde* de les rapporter « d'une manière fausse et tendancieuse ». Il demande aux lecteurs et téléspectateurs de ne lui attribuer que ce qu'il aura « fait connaître lui-même, publiquement et directement ».

Georges Pompidou se trouve, par la haute fonction qu'il occupe et la relation privilégiée qu'il a avec le Général, au centre même du débat. Comment réagit-il ? « Il écoutait toujours, écrit Michel Jobert, avec l'apparent détachement que permettaient sa rapidité de travail et son esprit de clarification. »

Pompidou a repris ses « entretiens au coin du feu » au cours desquels il s'adresse aux Français de façon simple et détendue, mais sa préférence va à la presse écrite, dont, dit-il, « l'apanage est la qualité du commentaire qui sollicite l'intelligence et transmet la culture ». Comme Camus, il tient les journalistes, lorsqu'ils sont bons, pour « les historiens de l'instant ». Il ne ressent probablement pas le monde extérieur de façon aussi irritante que le Général. Sans doute s'est-il résigné à « faire avec », tout en entreprenant de remédier patiemment à ce qui est le plus insupportable. Son idée centrale, celle qui est au cœur de son action depuis qu'il est confirmé à Matignon, c'est de redonner le plus rapidement possible au Général les moyens de sa politique. Dans son ouvrage *Le Nœud gordien*, Pompidou s'en explique sans la moindre ambiguïté : « Notre Constitution [...] a clairement posé le principe de la *priorité* du chef de l'État. C'est même là que se trouve l'opposition essentielle avec les IIIe et IVe Républiques. Le chef de l'État, investi directement de la confiance de la nation, est et doit être le chef incontesté de l'exécutif. » Et il ajoute : « Mais il se trouve que le jeu même de l'organisme gouvernemental fait que les affaires viennent *par priorité* à Matignon, que Matignon intervient constamment pour orienter et arbitrer et c'est ainsi qu'apparaît le risque d'une "dyarchie", d'un gouvernement à double commande. Rien ne serait plus grave que de laisser se créer cette dualité. » Enfin, cette remarque, essentielle : « Quand le président de la République est le général de Gaulle, le risque n'existe pas. L'autorité de la personne est telle qu'un Premier ministre [...] ne saurait perdre de vue sa subordination. »

Sans doute a-t-il encore présente à l'esprit la lettre que, du ministère de l'Intérieur, le jour de Noël de l'année précédente, lui avait adressée Roger Frey :

« Cher Georges,

« Quoi qu'il arrive dans les années à venir, le "gaullisme" n'aura pas été qu'une merveilleuse aventure puisqu'il aura permis à notre pays, à la fois de rester fidèle à lui-même et de se rénover, et qu'il aura consacré, malgré les différences de caractère, l'amitié de quelques hommes liés par tant de souvenirs communs, de déceptions, de tristesses et de joies.

« Aujourd'hui, il semble que le vaisseau soit entré dans une mer calmée. Ce n'est probablement qu'apparence et demain peut nous réserver encore bien des surprises et bien des difficultés. » Et le ministre de l'Intérieur poursuit : « Je souhaite que nous les abordions, si nécessaire, avec le même esprit d'équipe, avec la même volonté, avec aussi le même désir de rester ce que nous avons été. En ce qui me concerne, soyez sûr que tout en faisant de mon mieux, je m'efforcerai de ne jamais me prendre trop au sérieux. C'est là, me semble-t-il, le meilleur moyen de nous aider à remplir une tâche difficile qui sera, j'en suis sûr, couronnée de succès. »

« Ne jamais se prendre au sérieux. » Georges doit apprécier le message. Car les difficultés annoncées commencent. Très exactement le 1er mars 1963, quand les mineurs du Nord déclenchent une grève dans les Houillères. Ils protestent contre le retard mis à leur verser des sommes promises lors de négociations antérieures. Le Premier ministre se rend à la Boisserie pour obtenir du Général l'approbation du décret de réquisition des « gueules noires ». Cette fois, c'est le Normalien qui prône la rigueur. Il travaille avec acharnement au redressement économique du pays et la crise des Houillères tombe au plus mal. De Gaulle signe. Mais la réquisition échoue, et bientôt le conflit se durcit ; d'autres secteurs viennent s'y joindre. Le 18 mars, de Gaulle écrit une lettre à son Premier ministre pour lui faire part de ses inquiétudes :

« Mon cher ami,

« Chaque jour, chaque heure qui passent montrent plus clairement que l'affaire des grèves est une entreprise politique dirigée contre "qui vous savez" avec le concours de toutes les oppositions. Il est essentiel, pour le présent et pour l'avenir, que l'issue soit l'échec complet de ceux qui ont monté cet assaut.

« Cela exige que du côté du gouvernement, aucune concession ne soit faite par rapport à ce qui avait été dit. Cela exige aussi que le gouvernement se décide à informer le public sur les réalités en ce qui concerne le progrès du niveau de vie des services publics depuis 1958 et la nécessité de l'équilibre.

« S'il en est ainsi, le succès final est assuré.

« *Sinon, tout y passera.*

« Amicalement. »

Le lendemain, de Gaulle monte au créneau. Dans une allocution radiodiffusée et télévisée, il prend le problème à bras-le-corps : « Pour être prospères, maîtres de nous-mêmes et puissants, nous, Français, avons fait beaucoup. Il nous reste beaucoup à faire. Car le progrès exige l'effort. » Il évoque les cris qu'il a entendu proférer dans les bulletins d'information : « Des sous ! Des sous ! » ou bien « Des crédits ! Des crédits ! » Et il en vient aux mineurs : « Il n'est pas surprenant, déclare-t-il, [...] que se produisent, chez nous comme ailleurs, des tâtonnements et des erreurs. Cela vient d'être le cas avec la grève des charbonnages. » Il reconnaît que certains services, dans l'administration, ont commis « des erreurs d'appréciation sur la situation réelle des rémunérations des travailleurs ». Puis il enchaîne sur la nécessité pour le gouvernement lui-même « d'étudier, apprécier et décider en plus complète connaissance de cause, quand il s'agit, soit de mesurer ce qu'il est équitable de faire en faveur de telle profession, soit de l'appeler à fournir ce qu'elle doit à la vie de la nation ».

Le Général constate, déplore, morigène et indique les embûches du long chemin qui reste à parcourir. Plus que jamais, les rôles respectifs du président de la République et du Premier ministre sont très nettement distingués l'un de l'autre. De Gaulle regrette sans doute d'avoir signé une réquisition qui n'a pu être appliquée. Il l'assume devant le pays, mais il ne cache pas qu'il attend, du gouvernement qu'il a choisi, davantage de soins et de rigueur dans l'accomplissement de sa tâche.

☆

« L'hiver très rigoureux cette année-là, écrit de Gaulle, devait se prolonger plusieurs semaines encore... En ma qualité d'homme du Nord, je portais à ces mineurs, à ces travailleurs, une estime particulière ! »

C'est de cette malencontreuse affaire que l'on date la faille entre les gaullistes de gauche (René Capitant, Louis Vallon et quelques autres) et le Premier ministre. « Alors que Georges Pompidou dispose de l'entière confiance du chef de l'État, qui lui reproche cependant de l'avoir associé à une affaire qui relevait du domaine propre du Premier ministre, quelques "visiteurs du soir", écrit François Vuillemin, viennent jusqu'à l'Élysée suggérer à de Gaulle la révocation du chef du gouvernement. »

Plus que jamais depuis l'élection du président de la République au suffrage universel, le Premier ministre doit se garder de compromettre le chef de l'État, et, si la situation l'exige, il peut être amené à jouer le rôle, peu enviable, de *fusible*. « Un ministre n'a pas d'état d'âme », déclarera, plus tard, Georges Pompidou en Conseil. Que dire alors du premier d'entre eux ?

En 1963, Pompidou lance de grands programmes orientés vers les technologies avancées, d'où l'importance, sans cesse croissante, que le gouvernement accorde à la recherche scientifique et la prise de conscience de la nécessité d'alliances extérieures, notamment avec des partenaires européens. Sans négliger de se conformer au fameux Plan — « cette ardente obligation » —, le Premier ministre en infléchit l'orientation dans un sens plus libéral, c'est-à-dire mieux adapté aux entreprises, publiques et privées. Comme l'indique l'historien Serge Bernstein, « il ne s'agit plus de produire à tout prix comme dans les années cinquante, mais de moderniser l'appareil économique pour le rendre apte à affronter la concurrence internationale ». Dans cette optique, le rôle fondamental de l'État a tendance à s'estomper au profit de l'initiative privée. Le choix est clair. La direction que l'État, avec tous ses moyens d'information et d'action, entend donner à l'économie française est aisément discernable : « Il s'agit de l'ouverture au monde extérieur, de l'abandon du protectionnisme frileux, de l'acceptation *des* concurrences. » Le second axe de cette politique économique repose sur l'impulsion donnée à l'aménagement du territoire. L'idée de Georges Pompidou, en parfait accord avec le Général, est qu'un pays moderne ne peut se satisfaire de la tristement célèbre formule : « Paris et le désert français ». L'équilibre du pays impose aux pouvoirs publics d'impulser une réelle dynamique du développement local. Pompidou se souvient de son passage au Commissariat général du tourisme à la Libération. Et puis la province, il y est né. Il la respire. Un jour, dans un discours à l'U.N.E.S.C.O., n'a-t-il pas évoqué la nécessité de « chercher à réconcilier les créations de l'intelligence avec les obscures et immuables exigences de l'instinct ». Le Premier ministre accompagne fréquemment le Général dans ses voyages à travers la France. Dans son *Anthologie*, parlant de l'école lyonnaise, il préconise de se rendre « au vrai pays de gloire, sur les bords de la Seine ou de la verte Loire ». En lui, l'homme d'action ne se départit jamais de l'amateur d'art et de poésie.

Afin d'avancer plus vite, Pompidou groupe autour de lui l'ensemble des bureaux concernés par l'aménagement du territoire jusqu'ici éparpillés rue de Rivoli au ministère de la Construction. Il crée également un fond d'intervention (F.I.A.T.) qu'il rattache à l'hôtel Matignon, et délègue l'aménagement à Olivier Guichard. C'est alors qu'est créée la D.A.T.A.R. Pompidou est le premier à penser à la nécessité de doter l'aménagement du territoire d'une politique prenant en compte la protection de l'environnement. Là encore, le « style Pompidou » s'affirme. Pour François-Xavier Ortoli, c'est une « volonté déterminée, servie par des moyens très conformes à sa méthode : une administration légère, très mobile, maniant des procédures souples, proches du terrain et bénéficiant d'un véritable pouvoir interministériel ». Bien entendu, les résultats suivent : le pôle aéronautique de Toulouse et l'aménagement de la côte languedocienne en témoignent.

☆

« Gouverner, c'est contraindre, écrit Georges Pompidou. Contraindre les individus à se plier à des règles dont chacune, à tout moment, va contre l'intérêt immédiat de tel ou tel. Les contraindre à payer des impôts, à donner à l'armée un temps de leur jeunesse et, parfois, leur vie. Les contraindre à obéir à des autorités administratives dont le poids leur apparaît aussi lourd que les motivations incompréhensibles. Les contraindre à accepter la loi de la majorité qui veut que le citoyen puisse critiquer mais non contester la légitimité du pouvoir contre lequel il s'est, personnellement, prononcé. »

Si le soubassement économique et industriel du pays soutient l'action menée par le Général de Gaulle au sommet de l'État, la politique militaire constitue naturellement le second pilier de cette action. Or, on a souvent écrit et pensé que le Premier ministre du général de Gaulle n'était pas en charge de ces questions. Rien n'est moins exact, même s'il est certain qu'en ultime ressort, tant par inclination personnelle que par attribution constitutionnelle, c'est bien au chef de l'État qu'il appartient de diriger la politique de défense de la France. A cet égard, Michel Jobert rappelle cette évidence souvent perdue de vue : « Le partage des rôles ne signifie pas l'ignorance, d'autant que Matignon est le siège d'un pouvoir exécutif opérationnel. Si l'impulsion vient du sommet, la mise en forme, l'exécution, sont entre les mains du Premier ministre. Croit-on encore que la ré-orientation de la politique de défense, après de désastreuses aventures coloniales, ait pu être effective dans les grandes disciplines d'avenir (nucléaire, aéronautique, espace) sans la vigilance du Premier ministre ? »

☆

Le 13 septembre 1963, de Gaulle adresse une note parti-culièrement âpre à Georges Pompidou à propos de deux éva-sions récentes de la prison de Fresne :

« Il résulte de ceci : 1. que les deux détenus activistes et condamnés à ce titre ont été transférés parmi les détenus de droit commun. Pourquoi ? Sinon par négligence. » Suivent quatre autres griefs numérotés, tous ponctués de la phrase accusatrice « Sinon par négligence », puis la mise en cause directe du ministère même de la Justice : « Il ne fait pas son devoir. »

Le 5 novembre, le Général adresse une longue lettre manuscrite de quatre pages à son Premier ministre. Elle porte témoignage du souci et de l'intérêt qu'il porte à son attelage avec Georges Pompidou :

« Si j'ai tenu personnellement et par cette lettre à rappeler les idées et les intentions que je vous ai fait connaître au cours de nos récents entretiens, c'est afin de formuler expli-citement ma pensée dans un domaine que je considère comme essentiel. Étant assuré que le but que j'indique est bien le vôtre et celui des ministres, je compte réunir, en principe le 26 novembre, un conseil restreint où me seront exposées les dispositions et proposés les textes nécessaires en attendant qu'il en soit statué en Conseil des ministres.

« Veuillez croire, Mon cher Premier ministre, à mes sen-timents bien cordialement dévoués. »

Trois jours plus tard, à huit jours du conseil restreint annoncé, de Gaulle envoie une note portant « observation au sujet des procès-verbaux des Conseils des ministres ». Elle est sèche et altière à la fois :

« Rappeler aux ministres et au secrétariat général du gou-vernement qu'on ne doit pas dire :

— Ceci... a été décidé *par* le Conseil des ministres, mais
— Ceci... a été décidé *en* Conseil des ministres. »

(Sous-entendu : par le président de la République.)

III

Le temps des « dauphins »

Les mois qui viennent de s'écouler, une fois la paix revenue, ont mis en relief les préoccupations sociales. L'année 1964 s'ouvre sur de nouvelles perspectives. « La vie économique, déclare le Général, est, de nos jours, au premier plan des désirs et des soucis. » Signe des temps, l'une des premières lettres de vœux qu'envoie de Gaulle de l'Élysée, le 6 janvier, est adressée à René Capitant, qui, après avoir été chef du réseau de résistance « Combat » de 1940 à 1943 à Alger, est à présent député de la Seine et l'un des « leaders » des gaullistes de gauche : « Que l'année soit propice à vous-même et aux vôtres ! lui dit-il. Qu'elle le soit aussi à notre pays et aux hommes ! Il y a, me semble-t-il, dans les profondeurs du monde, une marée montante en faveur de la paix et de la fraternité. »

Et, à son ministre d'État chargé des Affaires culturelles, André Malraux, quelques jours plus tard : « Comme vous êtes mon ami, je vous remercie de faire si magnifiquement ce qu'il faut pour que je puisse vous admirer. »

☆

Où en est Georges Pompidou ? La grève des mineurs, ou plutôt sa prolongation et ses conséquences après sa décision de réquisition, l'ont beaucoup frappé. « Deux ans plus tard, estime Jacques Chirac, mieux préparé, l'expérience aidant, sans doute l'eût-elle moins traumatisé. Si on devait dater d'un moment plutôt que d'un autre l'instant du "passage", avec ce que cela comporte (le passage de l'homme politique à l'homme d'État), le moment où il faut "payer" durement, je le situerais là. »

Pompidou le ressent. Il est conscient d'être, *après* le Général, le pivot par lequel tout passe : la politique intérieure et extérieure, l'économie, le social et la défense. Il l'exprime en plusieurs déclarations de cette année 1964, que cite Pierre Rouanet dans son ouvrage sur le Premier ministre :

« Je puis vous assurer qu'aucune décision importante du pouvoir exécutif n'est prise sans qu'il en ait été délibéré longuement,

— entre le chef de l'État et le Premier ministre d'abord,

— avec les ministres compétents ensuite,

— et avec le gouvernement dans son ensemble, enfin. »

Il précise même :

« Sauf exceptions énumérées limitativement par la Constitution, aucun acte du président de la République n'est valable sans la signature du Premier ministre. Et je vous demande de croire que j'attache à cette signature la même importance que le président de la République attache justement à la sienne. »

Toujours selon la même source, et dans la même période, Pompidou prend soin d'affirmer sa liberté de connaissance : « Je ne saurais continuer ma tâche ni porter mes responsabilités qu'autant que je suis ou je serai pleinement d'accord sur tous les aspects de la politique qu'il m'appartient d'ailleurs de conduire. »

Est-ce à dire que le Normalien et le Soldat sont toujours d'accord sur chacun des points dont de Gaulle ordonne l'exécution ? Peut-on en déduire que les deux hommes font la même analyse de la situation ? Faut-il comprendre qu'ils partagent la même philosophie sur l'art de gouverner les Français à ce moment précis de leur histoire ? « Je considère, répond à cela Georges Pompidou, comme un devoir élémentaire pour un Premier ministre de ne jamais révéler publiquement les divergences qui, en telle ou telle circonstance, pourraient surgir entre le chef de l'État et lui. L'unité de direction et de politique domine à mes yeux toute autre considération. »

☆

A dire vrai, avec le recul et en confrontant les textes écrits par le président et le Premier ministre, on est frappé par leur passion commune de l'*acte de gouvernement*. On l'a vu, de Gaulle s'investit entièrement dans les questions dites d'intendance, celles qui paraissent le moins convenir à son altitude. La colère des mineurs ou des agriculteurs compte autant pour lui que la force de dissuasion ou la sortie de l'O.T.A.N. Dans une note du 22 novembre 1963, ne s'est-il pas préoccupé d'architecture moderne et d'urbanisme ? Et sur quel ton ! « Pour toutes ces opérations qui sont projetées à Maine-Montparnasse, ou sur l'emplacement de la gare d'Orsay, ou au transfert des halles, ou à l'aménagement du rond-point de la Défense, je tiens à être informé avec précision des projets qui seront élaborés. » J'ai sous les yeux un brouillon de notes prises au cours d'une réunion des commandants des régions militaires, maritimes et aériennes, en date du 18 janvier. Le Général a inscrit, çà et là, des observations de chef de corps :

« Lure, mauvais pour le casernement.

« Franchissement du mur du son. Les protestations.

« Les sous-mariniers sont très mal installés à bord du *Béarn*. Il leur faut une caserne.

« A Lille, mélancolie des officiers. »

Qu'on ne nous dise pas, après cela, que « qui vous savez ? » — pour reprendre l'expression cueillie dans le populaire par de Gaulle — gouverne la tête dans les étoiles.

A l'inverse, qu'on ne s'imagine pas un Pompidou parfait factotum et fier de l'être. L'un et l'autre, quelles que soient leurs destinées respectives et les arrière-pensées qu'on leur prête, ont une égale détermination à assumer, dans son intégralité, la mission que leur assigne, chacun à son poste, la Constitution nouvellement aménagée de la Ve République.

Ceux qui, au hasard de conversations rapportées ou s'appuyant sur un aspect parcellaire de leur comportement, ont prêté au chef de l'État ou à son Premier ministre des priorités illusoires ou des oublis caractérisés seraient étonnés en prenant connaissance du détail de leurs préoccupations réelles et certifiées.

A partir de mars, un autre souci commence à percer chez de Gaulle : celui de sa santé. Il doit, comme beaucoup d'hommes de son âge, subir l'opération de la prostate. L'éventualité, si faible soit-elle, de sa mort pendant ou après l'intervention le conduit à prendre un certain nombre de dispositions à caractère testamentaire. On en sentait les prémisses dans une lettre (du 9 décembre) à Le Clezio, qui lui avait envoyé son *Procès-verbal*. Le remerciant, le Général lui avait écrit : « *De moi qui suis au terme...* à vous qui passez à peine les premiers ormeaux du chemin... ».

Avec le printemps qui vient, de Gaulle met de l'ordre dans l'essentiel. Il convoque un conseil de Défense le 7 mars, et note quelle doit être la position de la France en cas de conflit avec l'U.R.S.S. On peut y lire :

« Si l'Occident attaque, nous attaquons aussi.

« Si c'est l'Est qui attaque l'Europe, nous contre-attaquons aussitôt,

— sur le sol russe atomiquement,

— en Allemagne si nous avons le temps,

— en France. »

Voilà pour la vigilance envers le pays.

Et l'avenir ? Le 12 avril, le Général fait porter à l'état-major interarmées de Paris une enveloppe personnelle et confidentielle destinée au capitaine de frégate de Gaulle ; elle est accompagnée de l'annotation suivante : « Ci-inclus, une lettre, une déclaration ; s'il ne "m'arrive rien" d'ici au 15 mai prochain, garder la lettre et me rendre la déclaration. »

On sait aujourd'hui ce que contenait la missive et on ignore toujours *quel nom* figurait dans la déclaration. Voici la lettre :

« Mon cher Philippe,

« S'il devait arriver que je disparaisse prochainement sans avoir directement fait connaître qui, dans les circonstances présentes, je souhaite que le peuple français élise pour mon successeur immédiat comme président de la République, je te confie le soin de publier aussitôt la déclaration ci-jointe.

« Je dis : mon successeur immédiat, parce que j'espère qu'ensuite c'est toi-même qui voudras et pourras assumer à ton tour la charge de conduire la France.

« Ton père très affectionné. »

☆

Document capital. Il nous apprend que l'État entre dans une zone de turbulence qui ne prendra fin que le 15 mai suivant. Il nous révèle que le général de Gaulle a couché *un successeur* selon ses vœux sur une feuille. Celui qui a ce redoutable honneur en a-t-il été averti ? Qui est-il ? Enfin, le président de la République écrit, sans doute pour la première fois, qu'il « espère » voir son fils lui succéder.

Que penser au juste ? De Gaulle a-t-il choisi l'un de ses anciens compagnons d'armes ? Peu probable. Pompidou ? Il semble qu'il n'y en ait aucune preuve. Le comte de Paris ? C'était l'époque où le Général entretenait une correspondance attentive avec le prétendant au trône de France. Un peu plus tard, il lui écrira cette phrase sybilline : « A cet égard, vous pouvez être assuré, Monseigneur, que mon intention répond à votre Vœu. » Quoi qu'il en soit, lorsque, le 17 avril au matin, le Général est opéré « d'une affection de la prostate », décidée plusieurs semaines auparavant, personne, à l'exception de Philippe de Gaulle, ne se doute de l'existence de cette lettre « testamentaire ».

« L'opération s'est passée normalement. L'état du général de Gaulle est très satisfaisant. » Tel est le communiqué du professeur Pierre Aboulker et des docteurs Roger Parlier et Jean Lassner.

Le 21 avril, de Gaulle écrit à Pompidou pour lui demander, conformément à l'article 21 de la Constitution, de présider, à sa place, « à titre exceptionnel », le Conseil des ministres du lendemain.

Que pense-t-il à cette date des normaliens en politique ? Une phrase cueillie dans une lettre à Alain Peyrefitte, son ministre de l'Information, pour le remercier de l'envoi de son livre *Rue d'Ulm*, fournit un commencement de réponse : « Dans notre monde, lui dit-il, combien de mondes ! *Celui de Normale nous montre comment la puissance peut se tirer de la désinvolture !* »

Le Général rentre à l'Élysée. C'est pour s'y mettre aussitôt en colère. Il l'exprime dans une note du 4 mai « à MM. Pompidou et Foyer » : « L'évasion de [ici le nom d'un ancien chef de commando Delta] continue la série scandaleuse des affaires de la même sorte, lesquelles n'ont jamais abouti à des sanctions effectives ni à des changements dans les "usages". [...] Quels ordres avaient été donnés pour qu'après tant d'expériences cesse ce transfert d'assassins dans les hôpitaux d'où ils s'évadent aisément ? S'il y avait des ordres, quelles sanctions sont prises à l'égard des responsables ? » Et, tant bien que mal, « le vieux bonhomme », comme il se qualifie lui-même dans une lettre à son neveu Bernard, s'attèle à une tâche qu'il doit ressentir comme devant être, sans cesse, recommencée.

☆

La personnalité du Général peut paraître déroutante à ceux qui ne connaissent de lui que l'image officielle et les nombreux « mots » qu'on lui a prêtés. Ses rapports avec son Premier ministre témoignent d'une amitié vigilante. Le 9 avril 1965, il lui fait parvenir un court billet :

« Mon cher ami,

« Bien que la grippe et la fièvre vous quittent, me dit-on, je vous demande instamment de ne pas vous hâter de reprendre le cours "ordinaire" (!) de vos occupations et obligations.

« Ce sera déjà fort bon et beau si vous venez au Conseil des ministres de mercredi. L'essentiel est que vous vous remettiez entièrement avant de recommencer.

« Veuillez me croire, mon cher ami, votre bien dévoué. »

Je me souviens d'un voyage à Colombey en compagnie de Pierre-Louis Blanc à bord de la voiture du Général conduite par son chauffeur. Nous roulions très vite, car la dactylographie d'un document erroné nous avait retardés, et au fur et à mesure que nous avancions vers l'est le verglas recouvrait la route. A l'arrivée, de Gaulle, qu'on avait tenu au courant de notre horaire, nous attendait sur le perron, en veston. Et c'était pour nous faire reproche d'avoir voulu rattraper le temps perdu et d'avoir couru des risques. « La prochaine fois, m'avait-il dit, s'il fait aussi froid et que la route est aussi mauvaise, je vous demande de prendre le train. On viendra vous chercher à Bar-sur-Aube. »

☆

L'une des prises de position très fermes de Georges Pompidou concerne la force de frappe. En 1965, un officier général confie à Merry Bromberger : « Le Premier ministre est devenu, en un temps record, un spécialiste des questions militaires. Il fait des critiques judicieuses des plans stratégiques, il a un bon sens d'Auvergnat et les plus adroits ont fini par renoncer à décourager sa perspicacité avec des arguments techniques. La symbiose de Georges Pompidou avec Charles de Gaulle nous est précieuse. La confiance dont il jouit à l'Élysée dépasse ce qu'on suppose. »

De fait, contrairement à la majorité de la classe politique, de la S.F.I.O. au M.R.P., Georges Pompidou, Maurice Couve de Murville et Pierre Messmer sont convaincus, comme le général de Gaulle, que les intérêts de la France ne se réduisent pas à ceux de l'Alliance atlantique. Ainsi, la France et l'Europe, pour reprendre le mot de Palmerston, « n'ont pas d'ennemis éternels, pas d'amis éternels, elles n'ont que des intérêts éternels » et il s'agit de les sauvegarder avant tout.

De la même façon que la politique de défense, la politique étrangère, inspirée par le chef de l'État, est relayée sur le terrain par le Premier ministre. « Georges Pompidou, note Michel Jobert, avait une connaissance exacte des affaires extérieures. Il voyait régulièrement chaque samedi matin, pendant une heure, Maurice Couve de Murville, ministre depuis 1958 et qui ne manquait pas de le suivre dans ses voyages officiels. » Cette politique étrangère des années soixante est tout entière déterminée par l'idée que le Général se fait du monde et du rôle que la France doit y jouer. Dans l'esprit du chef de l'État et de son Premier ministre, ce sont les ambitions nationales et la quête éternelle de la puissance qui dominent les rapports internationaux. Il convient donc que la diplomatie française se mue en « stratégie », susceptible, selon le mot de Serge Bernstein, « de dégager au pays un espace de manœuvre dans les brèches de la nécessité ».

☆

« Le septennat du général de Gaulle est sur le point de s'achever, écrit François Goguel. Conformément à la loi constitutionnelle adoptée le 28 octobre 1962, le suffrage universel sera appelé, le 5 décembre, à élire pour sept ans un président de la République. Plusieurs candidats sont déjà sur les rangs. » Il les énumère : Gaston Defferre (qui y renoncera après s'être déclaré le premier), Jean-Louis Tixier-Vignancour, Pierre Marcilhacy, François Mitterrand, auxquels se sont ralliés le Parti communiste, le Parti socialiste, le Parti radical, le P.S.U. et la Convention des institutions républicaines dont il est le président. Enfin, Jean Lecanuet, soutenu par le M.R.P., le Centre national des indépendants et paysans et le Comité de liaison des démocrates.

Le 4 novembre, de l'Élysée, de Gaulle s'adresse aux Françaises et aux Français. « Il y a vingt-cinq ans, lorsque la France roulait à l'abîme, j'ai cru devoir assumer la charge de la conduire jusqu'à ce qu'elle fût libérée, victorieuse et maîtresse d'elle-même. Il y a sept ans, j'ai cru devoir revenir à sa tête pour la préserver de la guerre civile. [...] Et aujourd'hui, je crois devoir me tenir prêt à poursuivre ma tâche, mesurant en connaissance de cause de quel effort il s'agit, mais convaincu qu'actuellement c'est le mieux pour servir la France. » Et il conclut en qualifiant d'« historique » le scrutin du 5 décembre 1965, qui, selon lui, « marquera le succès ou le renoncement de la France vis-à-vis d'elle-même ».

La veille, il a chargé Georges Galichon, son directeur de cabinet, qui occupe auprès de lui la charge qu'exerçait naguère Georges Pompidou, d'une mission particulière.

« Dans le cas où, pour une raison quelconque, je serais sur le point de ne plus exercer mes fonctions de président de la République, les fonds spéciaux dont je dispose devraient être remis par vous, immédiatement et en totalité, à M. Pompidou, Premier ministre, qui les joindra aux fonds de même sorte qui lui sont attribués. » C'est la deuxième fois, en moins de deux ans, que de Gaulle prend des dispositions à caractère « testamentaire », et, cette fois, c'est Georges Pompidou qui est nommément désigné.

☆

Le 5 décembre, de Gaulle obtient 44,64 % des voix, Mitterrand 31,72 %, et, surprise, Jean Lecanuet 15,57 %. Comme la loi constitutionnelle requiert la majorité absolue, un second tour aura lieu le 19 décembre pour lequel seuls resteront en présence les deux candidats arrivés en tête au premier tour.

Le Général est en ballottage ! Pour ses fidèles, c'est presque un crime de lèse-majesté. Philippe Alexandre observe : « Pompidou se souvient du référendum de 1962. De Gaulle refusera de se maintenir au pouvoir sans l'approbation massive des Français. Ce soir, la masse est dans le camp des adversaires et des abstentionnistes : la légitimité — mot clé de la philosophie gaullienne — vient de subir un terrible coup. » Et il poursuit : « Le Premier ministre est épouvanté : cette nuit-là, dira-t-il, et encore le lendemain, j'ai vraiment cru que le Général allait abandonner le pouvoir. J'ai vécu des heures effroyables. »

De fait, c'est l'heure de vérité. Éditeur du Général, j'ai bien présente à l'esprit la dernière phrase du deuxième tome inachevé de ses *Mémoires d'espoir*. Elle conclut de façon saisissante le chapitre et le livre : « Mais comment n'aurais-je pas appris, écrit de Gaulle, que ce qui est salutaire à la

Nation ne va pas sans blâmes dans l'opinion, ni sans pertes dans l'élection ? »

Le point d'interrogation final reste en suspens.

Dans une lettre manuscrite, adressée le 30 mai 1970 à Pierre-Louis Blanc, il fournit une indication précieuse qui confirme et accentue encore sa pensée : « Pour *L'Effort,* j'ai l'intention d'écrire sept chapitres. Deux seront "politiques" et consacrés respectivement surtout au *référendum* d'octobre 1962 (formation du gouvernement Pompidou, censure, dissolution, référendum même, élection) et à la *réélection* de décembre 1965 (assaut général des partis, etc.). »

Assaut général des partis, écrit de Gaulle. Les chroniqueurs de l'époque font état du découragement de l'homme du 18 juin. « Vous voyez bien que tout ça ne servirait à rien ! »

De son côté, Pompidou, pour touché qu'il soit, n'en conserve pas moins le recul critique qui sied au familier des grands textes et de l'Histoire. Il cite volontiers et commente la phrase d'André Siegfried : « Les peuples bien gouvernés, disons les peuples faciles à bien gouverner, sont en général des peuples qui pensent peu. »

Cette fois, en tout cas, les Français ont dit leur mot. Ils ont frondé dans l'isoloir et ont mis de Gaulle en question. Dès le 9 décembre, le Général se reprend ; il rédige un « brouillon de plan d'allocution radiotélévisée relative à l'élection présidentielle » :

« 1° Caractère politico-électoral du scrutin par rapport aux successifs référendums. Les chiffres.

« 2° Conjoncture différente.

La peur a disparu... »

et il conclut :

« — dire ce qui a été fait ;

— dire ce qui reste à faire ;

— conclure que rien ne sera fait sans un régime stable et cohérent, par conséquent sans la Ve. »

Suivent les trois entretiens sur le petit écran avec Michel Droit et l'allocution du 17 décembre qui s'achève par ces mots : « Françaises, Français ! Voilà pourquoi je suis prêt à assumer de nouveau la charge la plus élevée, c'est-à-dire le plus grand devoir. »

Le 19 décembre, de Gaulle l'emporte avec 13 085 407 suffrages (55,2 %) contre 10 623 247 à François Mitterrand. Il écrit à Michel Debré un mot qui tire la leçon du scrutin : « Faute qu'aucun drame menace, le résultat a été peu brillant. Pouvait-il l'être ? »

☆

Une donnée semble n'avoir guère été analysée sur le moment tant la difficulté du chef de l'État à franchir la barre a été ressentie par l'opinion et par la presse : c'est *l'effet Lecanuet*. Ses 15 % de voix au premier tour ont pourtant fait surgir sur la scène politique nationale une *autre voie*. Il y aurait donc, quelque part, outre les abstentionnistes assidus, une fraction de l'électorat prête à s'écarter de l'affrontement du gaullisme contre les partis politiques regroupés autour de François Mitterrand ?

Jean Lecanuet a ouvert une brèche, et des espérances ne vont pas tarder à germer, aussi bien dans l'opposition que dans la majorité. « Les gaullistes de gauche, dit André Malraux au Général dans *Les chênes qu'on abat*, ont réellement espéré que, tôt ou tard, vous feriez, dans le domaine social ce qu'ils n'attendaient plus des communistes ni des socialistes. » Plus que jamais, à leurs yeux, il est temps, pour le chef de l'État, d'éloigner Georges Pompidou. Dès le résultat de l'élection présidentielle proclamé, le Général confie à nouveau le poste de Premier ministre à celui en qui ses adversaires voient déjà un successeur, et contre qui s'accroît et s'active leur inimitié.

Deux témoignages méritent ici d'être rapportés. Celui de Michel Debré d'abord : « Georges Pompidou souhaitait que le Général s'en allât et qu'il en fît son dauphin ; c'était visible dès 1965. » Celui de Georges Pompidou ensuite, extrait de ses Mémoires : « En 1965 [...] le Général m'avait dit sa lassitude et son désir de départ et, à bien des reprises depuis 1962, m'avait dit et répété que je devais être, après lui, président de la République. Je devinais maintenant qu'il m'avait tâté et tenté pour voir mes réactions. »

« Tâté » et « tenté ». Ce sont sûrement les deux mots les plus justes, et tout le reste en découle. Tout au long des mois qui précèdent le scrutin présidentiel de décembre 1965, le Général, sentant sa santé s'affaiblir, craint de laisser, s'il lui arrivait malheur, la maison en désordre. D'où les dispositions « testamentaires » qu'il prend à deux reprises. Il subit également, sans nul doute, une très forte pulsion de départ. Elle le conduit à faire des confidences, à consulter. Il est évident que de Gaulle sème au moins auprès de trois personnes le germe d'une ambition nationale. Son propre fils (il semble que ce fut éphémère), le comte de Paris (toute une correspondance que j'ai publiée en témoigne) et Georges Pompidou. Finalement, il opte pour aller lui-même au combat. La France le mérite, pense-t-il. Mais, à partir du vote timoré du 19 décembre, quelque chose d'essentiel est rompu.

Le jour où Metz avait été libérée, se rappelle Louis Joxe, de Gaulle s'était engouffré dans la cathédrale. Ses compagnons l'avaient suivi mais ils l'avaient laissé seul au fond de l'église. Moment rare. De Gaulle est isolé, plongé dans sa prière. Il rend grâce à Dieu de la France tout entière libérée. Le soir, il confie à Louis Joxe : « Voyez-vous, c'est maintenant qu'il faudrait mourir. »

IV

Avant le lever du rideau

A elle seule, la photographie exprime toute l'intensité et l'âpreté de l'aventure. On y voit, courbés par une rage de vent qui les frappe de face, deux hommes : le premier tête nue, le second couvert d'un chapeau, tous deux manteaux flottants, qui avancent sur une plaine rase, bordée de piquets et de clôtures.

Le premier est Georges Pompidou. La légende dit : « 1965-1967 — Le Premier ministre prépare la majorité au choc des législatives de 1967. » Derrière eux, trois voitures noires, arrêtées sur le bas-côté de la route. Cette fois, Pompidou est entré dans l'arène des législatives et il a fait imprimer des affiches à son nom dans sa circonscription : « Pour le Cantal ! Pour l'avenir ! ». « Un élu, a écrit Sartre, c'est un homme que le doigt de Dieu coince contre un mur. »

Cigarette oblique aux lèvres, sourire malicieux, Pompidou a résolu d'en remontrer à ceux qui, dans l'ombre, lui reprochent de n'avoir jamais connu le baptême du feu des préaux, des marchés et des bistrots de village. Il avait cela de commun avec de Gaulle. Il était en quelque sorte exempt du suffrage universel. En cette fin d'hiver 1967, il court les chemins de la ruralité, dans la France profonde, « celle, écrit Marcel Arland, des hommes les plus proches de la nature, les moins artificiels, les plus vrais ».

C'est un pas décisif qu'accomplit le Normalien. Il le fait, sans doute, parce que le moment est venu de sauter le pas. Le scrutin présidentiel a révélé les inquiétudes et les réserves des Français, il convient d'aller, sur place, les apaiser.

L'autorité du chef de l'État et la primauté du gaullisme l'exigent. Pompidou va donc à la bataille. Il conduit une campagne « habile et dynamique », écrit Serge Bernstein, contrôlant de très près la cohésion de la majorité et payant de sa personne. On l'y voit débattre publiquement à Nevers avec François Mitterrand, puis, quelques jours plus tard, à Grenoble avec Pierre Mendès France, dans une ambiance surchauffée. Pompidou y va de bon cœur. L'un de ses amis lui écrit le 1er mars : « Le débat du lundi à Grenoble, que j'ai suivi de bout en bout, m'a produit une impression que je n'avais pas éprouvée auparavant, si ce n'est, mais alors de façon fugitive, lors du début du discours de Malraux à une grande réunion du R.P.F. au Vélodrome d'Hiver. » Le correspondant relève de façon pertinente ce qui a changé chez l'homme politique confronté ce soir-là à un contradicteur « que l'on estime et que l'on écoute ». Il dégage l'essentiel : « Tu ne t'exprimais pas comme jadis "pour le compte de"... Tu étais Georges Pompidou. » A rapprocher de ce mot de Malraux griffonné quelques mois plus tôt, rue de Valois : « Mon cher Georges, voici la rumeur publique... (inspecteurs et chauffeurs, ce matin) "Ah ! Il s'défend bien, Monsieur Pompidou ! Il a été sensas !" »

Décidément l'homme grandit de jour en jour, et, après ses proches, les spécialistes puis les braves gens le perçoivent. Les uns pour s'en féliciter, les autres pour s'en inquiéter. Les plus avisés d'entre ces derniers avaient, de longue date, craint, à la fois, cette maturation et son effet. Nul ne se méprenait sur la culture et la valeur de Georges Pompidou. On se rassurait un peu à l'idée qu'une grande partie de sa réussite tenait à l'immense ombre portée de De Gaulle. Ils attendaient le « dauphin », non plus dans l'exercice du pouvoir — dont il se tirait adroitement — mais sur le terrain électoral. Or, voilà qu'il y excellait !

Où puise-t-il cette force, cette solidité, ce sens du peuple ? Dès le début de sa carrière politique, Pompidou a veillé à conserver, sinon les longs moments d'éloignement propres à la fonction d'enseignant qui était la sienne, du moins des heures de détente et d'évasion, le plus souvent en famille, tantôt à Orvilliers, en plein cœur de l'Ile-de-France, tantôt à Cajarc, dont la beauté sauvage l'a séduit et qui devient, pour lui, un lieu de vacances privilégié. Ces plongées terriennes l'affermissent encore dans ses convictions, le maintiennent en contact avec les réalités rurales, et lui permettent de cultiver les amitiés.

Son tonus est intact. « Un soir, vers 9 heures, raconte Jacques Chirac, je descends l'escalier de Matignon quand je rencontre Georges Pompidou. Il revient de l'Élysée. Au beau milieu des marches, il me prend par le bras : "Jacques, vous ne direz rien, mais je vous ai réservé un strapontin !" Il me regarde. Ses yeux sourient. "Mais attention ! Souvenez-vous toujours de ne jamais vous prendre pour un ministre !" C'est ainsi que je suis devenu secrétaire d'État à l'Emploi ! »

Le 4 mars, de Gaulle, comme il y est accoutumé, prononce une allocution radiodiffusée pour convier les Français aux scrutins des 5 et 12 mars. « Françaises, Français... A la veille du jour où le pays va voter après avoir entendu tant et tant d'arguments opposés, j'ai le devoir d'évoquer devant vous ce qui nous est commun, à tous ! Je veux dire le bien de la France. »

Le 5, la France vote massivement : 19,1 % d'abstention contre 31,3 % en 1962. Le Comité d'action pour la Vᵉ République obtient un peu plus de 38 % des voix et progresse de 2 %. Le Parti communiste se consolide avec 22,5 % des suffrages exprimés, la Fédération présidée par François Mitterrand 21 % et Jean Lecanuet 13,5 %. Au second tour, l'opposition marque des points. Les électeurs fidèles, assurés du succès gouvernemental, ou bien s'abstiennent ou bien s'offrent le luxe de sanctionner les candidats de la majorité. Résultat : un score très serré qui donne aux gaullistes 247 députés contre 240 à leurs adversaires.

Le 1ᵉʳ avril, Georges Pompidou démissionne.

Il est nommé à nouveau Premier ministre le 6.

Les deux partenaires reprennent leur place sur le court pour un nouveau double, mais les conditions du match ont bien changé. « Notre Constitution, déclare alors Georges Pompidou, suppose un couple mécanique harmonieux [...]. Il y faut un chef de l'État et un chef du gouvernement très proches politiquement, et même intellectuellement. L'un sert l'autre, l'autre sert l'un... Dans 99 % des cas, je réagis comme le Général devant un événement. Il n'en reste pas moins que la conclusion que j'en tire est plus facile pour moi. Le fait que j'y aboutisse en sachant que je n'ai pas à prendre la responsabilité finale représente un allégement d'esprit extraordinaire. »

Le Premier ministre reconduit mesure plus que jamais la fragilité de la situation et n'ignore pas que le général de Gaulle, pendant plusieurs semaines, a sérieusement envisagé de confier à Maurice Couve de Murville la charge du gouvernement de la France. Le bruit en a couru, savamment entretenu par les ennemis de Pompidou. Lancés tous deux dans la compétition électorale, l'un à Paris, l'autre en Auvergne, les deux hommes se sont trouvés placés en compétition ouverte. Or, Pompidou est brillamment élu et Couve de Murville, dans sa circonscription, est battu. L'opération changement de Premier ministre a été provisoirement abandonnée. Quoi qu'il en soit, la majorité n'est passée que de justesse. Peut-être le doit-on aux mêmes trois millions à trois millions cinq cent mille électeurs de gauche qui, selon François Goguel et Maurice Duverger, auraient, le 5 décembre 1965, assuré l'élection du Général et qui lui auraient renouvelé leur confiance aux législatives. Les gaullistes de gauche ! Leur poids dans la balance politique n'a cessé de s'accroître depuis quatre ans, lorsque Pompidou déclarait à *Paris-Match* : « Je ne crois pas que l'objet principal de ce régime et de l'action du général de Gaulle soit d'apporter la prospérité aux Français. Le premier objet, à mon avis, ça a été de leur rendre la dignité [...]. Une des dominantes de notre politique sociale, c'est d'aboutir à ce que, véritablement, les catégories sociales et en particulier les plus modestes ne se sentent pas — comme disait Dostoïevski — "humiliées et offensées". »

Ne disposant à l'Assemblée que d'une majorité très faible, Pompidou entend s'en assurer le contrôle. On lui reproche déjà d'avoir, en refusant tout retour à l'indépendance de l'U.D.T., « verrouillé » son aile gauche... Le congrès qui doit se tenir à Lille les 24 et 26 novembre 1967 a pour objet, selon François Vuillemin, de « transformer la majorité parlementaire en un parti majoritaire ou à vocation majoritaire ». Jean Charlot constate, de son côté : « Les assises de Lille se situent donc bien, par leur enjeu, dans l'optique de l'après-gaullisme. »

Le mot est prononcé : *l'après-gaullisme*. Plusieurs considérations concourent à sa diffusion. D'abord l'âge du Général : soixante-dix-sept ans. Certains n'hésitent pas à affirmer qu'il est fort capable de se présenter, une fois encore, à la fin de son mandat. On parle de monarchie gaullienne. Mais, d'un autre côté, la victoire aux dernières législatives a été bien courte et les fissures sont apparues dès le lendemain du scrutin : il flotte aussi, pêle-mêle, des faits et des mots qui ont jalonné l'itinéraire du chef de l'État : la mise en ballottage par François Mitterrand, la percée de Jean Lecanuet, et même le mauvais effet produit, en juillet dernier, par le fameux « Vive le Québec libre » prononcé par le Général au cours de son voyage au Canada. Il est temps, pour Georges Pompidou, de resserrer le dispositif de l'U.N.R. Lille, cité de naissance du Général, doit en fournir l'occasion.

Deux semaines avant l'ouverture du congrès, *Notre République* publie un éditorial des gaullistes de gauche qui ouvre le feu. « La vaste opération, lit-on, montée et poursuivie depuis de nombreux mois par Georges Pompidou, comporte un danger évident : celui d'incarner le régime dans un parti en oubliant quels sont les fondements mêmes de la Ve République et donc de condamner celle-ci à une irrémédiable dégradation » ; le texte conclut : « Nous n'irons pas à Lille. »

Au congrès, où Maurice Couve de Murville est particulièrement acclamé, on n'élit pas de secrétaire général et on opte pour une direction collégiale.

Lorsque, le 27 novembre, de Gaulle clôt sa conférence de presse à l'Élysée, il fait un sort particulier à la dernière question qui lui est posée. On lui demande :

« Depuis quelque temps, il est beaucoup question de l'après-gaullisme. Mon Général, y avez-vous jamais pensé ?

— Tout a toujours une fin [...]. Pour le moment ce n'est pas le cas. De toute façon "après de Gaulle" ce peut-être ce soir ou dans six mois, ou dans un an. Cela peut être dans cinq ans puisque c'est là le terme que fixe la Constitution au mandat qui m'est confié. »

Pour en faire rire quelques-uns ou en faire grogner d'autres, il va même jusqu'à laisser supposer à cette occasion que cela pourrait durer encore dix ou quinze ans. Puis il évoque les dix-sept régimes que la France a connus en l'espace de cent soixante-dix ans, les quarante-sept ministères de la IIIe République et les vingt-quatre de la IVe, et il y oppose la continuité politique de la Ve. Enfin, il en vient au congrès de l'U.N.R. qui s'est tenu la veille : « C'est d'ailleurs, dit-il, ce qu'ont voulu manifester ardemment et solennellement ceux qui se sont réunis à Lille tandis que leurs assises travaillaient à adapter aux conditions qui vont changeant nos conceptions et nos inspirations. »

☆

Georges Pompidou écrit sans la moindre ambiguïté dans *Le Nœud gordien* : « Qu'appelle-t-on le problème de l'après-gaullisme, sinon la conviction si répandue que ce qui tient par de Gaulle ne tiendra plus sans lui et qu'une fois encore, nous sommes voués à la crise de régime ? » Et à propos des relations du Premier ministre avec sa majorité parlementaire, il affirme : « Là est vraiment le rôle essentiel du Premier ministre : être en liaison constante, étroite et confiante avec la majorité qui le soutient, savoir l'associer à sa politique, lui en faire comprendre la nécessité puisqu'elle en partage la responsabilité. »

Pompidou a gagné sur le terrain — dans son Cantal — ses galons de représentant du peuple. Il connaissait, à merveille, par sa formation universitaire, le fonctionnement des pouvoirs. Les circonstances électorales, les pressions diverses, l'ont amené à descendre dans l'arène. Il en est revenu *différent*. Avant la campagne dans les lieux-dits du Cantal, aurait-il eu, pour rameuter son monde au lendemain d'une consultation gagnée de justesse, la même pugnacité ? On peut en douter.

Après les élections de mars, on dirait qu'il s'est juré, puisqu'on le cherche dans les jeux qui ne sont pas les siens, de s'y montrer supérieur, non seulement à ses adversaires mais aussi à ses collègues de la grande famille gaulliste. Il ne le fait sûrement pas seulement pour relever le défi. Il a conscience que le pays, à présent, a le sentiment que le pouvoir, comme en 1962, est à la merci du premier incident venu. A peine installé, le troisième gouvernement Pompidou voit trois motions de censure déposées par l'opposition échouer de très peu. De Gaulle, lorsqu'on lui reproche l'usage « abusif » que fait son gouvernement de l'article 38 de la Constitution (sur les « pouvoirs spéciaux »), répond : « Au total, il n'y a donc là rien que de très normal en principe, et, en l'occurrence, rien que de très satisfaisant. »

Les gaullistes de gauche ne se privent pas de multiplier les critiques à l'encontre du Premier ministre, tandis que les Républicains indépendants s'en prennent, eux, à « l'exercice solitaire du pouvoir ». C'est pour faire face à cette coalition des contraires que Pompidou, à Lille, a réorganisé l'U.N.R. et l'a transformée en « Union des démocrates pour la Ve République ». Selon Serge Bernstein, « cette réorganisation s'explique parce que le gaullisme est désormais sur la défensive et que la république gaullienne paraît, à tout moment, à la merci d'un événement qui pourrait transformer son affaiblissement en échec. C'est le cas de figure que semble réaliser la crise de mai 1968 ».

L'a-t-on remarqué ? Dans son allocution rituelle du 31 décembre 1967, de Gaulle offre ses vœux à l'armée. « Mes souhaits de nouvel an, très sincères et affectueux, vont aux armées de Terre, de Mer et de l'Air. En 1968, le but à atteindre est la rénovation des forces de la France dans l'indépendance nationale recouvrée [...]. Cela implique [...] que la discipline, la fierté des armes, le goût de servir, qui font la valeur militaire, seront maintenus et vivifiés. »

Et, déjà, avec les premiers beaux jours du printemps, le vent se lève...

☆

« La France s'ennuie », titrent les journaux.

Relevée de l'humiliation et de la nuit brune en 1944, divisée par l'épuration, blessée à l'âme par les cruelles liquidations de l'Indochine et la dispersion de son ancien empire, de nouveau dressée contre elle-même par le drame algérien, elle vient tout juste de passer sa majorité d'après-guerre et la pièce qui se joue ne semble guère l'intéresser.

Le grand homme qui tient vigoureusement la barre à sa tête a vieilli. Il incarne, avec le chancelier Adenauer, le renard au poil gris, une certaine réplique des Burgraves. Pour les plus impatients, l'Europe ressemble à Marienbad. Quelque chose d'imperceptible se répand dans la jeunesse, et l'on ne sent rien venir. De Gaulle se rend à Lyon pour ouvrir la Foire traditionnelle et annoncer une réforme régionale, tandis que l'Assemblée nationale repousse une motion de censure déposée, le 24 avril, par la Fédération de la gauche. Tout semble tranquille.

« Régler les difficultés [...] à mesure qu'elles se présentent, dit le chef de l'État, c'est essentiellement l'affaire de Georges Pompidou et de ceux de ses collègues qui se trouvent concernés. Ils s'en acquittent avec compétence et pondération. Je m'en remets à eux, cas par cas. Mais je fixe, soit en Conseil, soit en particulier, l'attitude qu'il y a lieu de prendre. » Et l'Éducation nationale ? Ne parle-t-on pas d'un mécontentement étudiant ? « Cela donne lieu, dit de Gaulle, à une série de Conseils, restreints ou non, au sein desquels j'ai toujours devant moi le Premier ministre, Georges Pompidou, lui-même agrégé et ancien normalien, et, à mon côté, le ministre Christian Fouchet qui n'entend pas être à son tour désarçonné par sa monture (les extrêmes difficultés de la tâche qu'assument les ministres de l'Éducation nationale les inclinent à se comporter en "passagers") et qui restera en selle beaucoup plus longtemps qu'aucun prédécesseur n'y parvint depuis cent ans. »

☆

Lorsqu'il se rend en fin de semaine à Colombey, de Gaulle y trouve le refuge de la forêt des Dhuits. « Elle s'étend sur des kilomètres, confiera-t-il à Jean d'Escrienne, elle est vieille comme la Gaule, et les moines du Moyen âge ne l'ont pas défrichée. En automne et en hiver, on y chasse sangliers, cerfs, chevreuils ; au printemps, on y cueille du muguet ; en été, on y ramasse des girolles [...]. Elle est une réserve, un refuge, une richesse. » Le temps du muguet est revenu.

☆

Georges Pompidou, au même moment, dresse le bilan de six années de gouvernement : « Mon premier souvenir, quand j'évoque ma désignation en avril 1962, écrit-il, est mélangé de fierté et de goût de l'action, mais aussi d'accablement. Certes, j'avais, pendant dix-huit ans, travaillé presque constamment aux côtés du général de Gaulle, certes, j'avais des affaires de l'État une assez bonne connaissance [...] mais une chose est d'étudier un dossier, autre chose de décider, et de porter la responsabilité des décisions. »

Penché sur la feuille blanche, le Normalien analyse son propre parcours comme il l'a fait naguère, pour Britannicus : « Au Premier ministre le devoir d'expliquer et de justifier l'action du gouvernement, de trouver et de maintenir une majorité, de manœuvrer au besoin, tâches non pas les plus difficiles, mais les plus absorbantes, les plus quotidiennes, parfois les moins nobles. A lui, par suite, de s'armer de patience, d'obstination, d'indifférence aux attaques. Plus que l'apprentissage de la tribune, des réunions publiques ou de la télévision, c'est sans doute ce qui m'a demandé le plus d'efforts. »

Et, loyalement, il reconnaît : « Il arrive qu'on se trompe et qu'on le regrette. C'est ainsi que, conformément d'ailleurs à l'avis de tous les experts, j'ai fait décider au printemps 1963 la réquisition des mineurs, ce qui était une faute que je me reproche encore aujourd'hui. »

Puis il poursuit : « Certes nous avons la stabilité politique, ce n'est pas moi qui pourrait le nier. Mais au prix de quelles difficultés ! La stabilité dans notre pays n'est jamais qu'un équilibre menacé entre des agitations contraires et la survie gouvernementale, du slalom véritablement spécial à travers des obstacles sans cesse renouvelés. On aspire parfois à la ligne d'arrivée... Faut-il en conclure à la lassitude ? Évidemment non. On dit volontiers que le pouvoir est une drogue mais il me semble qu'il y a tout autre chose. Le pouvoir pour le pouvoir, pour les honneurs, pour les facilités qu'il offre, ne m'intéresse pas. J'aurais pu vivre autrement. Je dirai même : j'aurais aimé vivre autrement. Mais ce qui est sans prix, c'est la conviction d'être associé à une tâche historique, de participer, immédiatement aux côtés d'un homme exceptionnel, à une œuvre sans précédent de rénovation nationale. »

Et il conclut : « Pour me faire comprendre, je dirai que, de toutes les décisions que j'ai dû prendre, celle, immédiate et spontanée, d'accepter de partager la responsabilité du référendum d'octobre 1962 sur l'élection du président de la République au suffrage universel, m'apparaît comme la plus importante et la plus honorable. La plus honorable, parce que le risque politique, on l'a oublié depuis, était à l'époque évident et grave ; la plus importante, parce que l'avenir de la France et de la République dépend de la présence, à la tête de l'État, d'une autorité forte de la confiance populaire en mesure de faire prévaloir en toutes circonstances l'intérêt général et de sauvegarder l'apport sans prix du général de Gaulle à notre pays, je veux dire l'indépendance. »

Beaucoup plus tard, ouvrant la deuxième partie de son livre *Pour rétablir une vérité*, Georges Pompidou a le beau courage d'écrire : « Il s'agit des événements de mai 1968 [...]. Reconnaissons tout de suite que je n'avais pas prévu ce qui est arrivé. La situation générale de la France était bonne [...]. Le climat social était calme. Restait l'Université... »

CINQUIÈME PARTIE

Le successeur du Général

> *« La pièce n'est terminée que si l'on sait ce qui arrivera d'Agrippine et de Néron. »*
>
> Georges Pompidou
> (commentaire sur l'acte V de *Britannicus*)

I

L'ouragan de Mai

Agrippine c'est la France. Elle regimbe. Elle s'éveille brutalement aux ides de Mai. Le Général écrira plus tard : « En 1968, l'ouragan souffle en effet... »

Le début de l'année est calme. De Gaulle reçoit.

Les portes de l'Élysée s'ouvrent successivement devant une délégation d'Acadiens, l'ambassadeur des États-Unis en partance, le président de la République malgache, le président de la République fédérale d'Allemagne, le président de la République irakienne, le président du Conseil des ministres de la République populaire hongroise, le Premier ministre de Libye...

Depuis quelques mois plusieurs incidents graves se sont succédé. A Caen et à Nanterre, les étudiants ont réagi sans ménagement aux propos des ministres Alain Peyrefitte et François Missoffe. A Fougères, de violents affrontements ont opposé de jeunes ouvriers aux forces de l'ordre. On dirait que la génération montante refuse le monde de ses aînés.

Sur le plan politique, la majorité ressent plus que jamais ses tiraillements internes. François Mauriac a donné un article à la *Nouvelle République*, et Georges Pompidou a pris sa plume, le 8 mars, pour lui en faire, respectueusement, le reproche : « Ce journal, vous l'avouerez, ne m'épargne guère. Il y a là des hommes de talent, dont certains m'inspirent une sympathie personnelle, mais qui ont cru démontrer qu'ils étaient *de gauche quoique gaullistes*, en attaquant le Premier ministre du Général. »

On perçoit la lassitude et l'agacement dans la lettre. Comment faire comprendre à des gens, qui se sont convaincus du contraire, qu'il n'y a « aucune antinomie entre gaullisme et gauche » ? Georges Pompidou révèle à l'illustre écrivain que le Général songe à « couper les vivres », à cesser de verser des subsides à ce journal, pourtant dirigé par des hommes qui se disent fidèles d'entre les fidèles. Mais il lui demande de ne pas le divulguer.

On le voit, le climat, au sommet de l'État, n'est plus le même que lors des deux premiers gouvernements Pompidou. Faute de danger extérieur, la marge de manœuvre s'est singulièrement rétrécie. Le 21 mars, Georges Pompidou déclare : « Il faut que les jeunes apportent la remise en cause de tout et les hommes mûrs la remise en ordre. Cela peut être complémentaire si l'on est du même côté de la barricade morale et nationale. »

Le Normalien, ancien disciple provincial de Jaurès, l'homme d'État révélé à la politique par une personnalité exceptionnelle qu'il n'a cessé depuis de servir, voit bien le tour que prennent les choses, mais ne perçoit pas encore leur ampleur et leur proximité. On peut remarquer au passage qu'il a employé, dans sa phrase qui appelle à l'équilibre des pulsions et des nécessités, le mot « barricade ». Elles ne vont pas tarder, par une succession précipitée d'événements, à se dresser dans la capitale.

Le 1ᵉʳ mai, il fait beau et l'on vend le brin de muguet aux coins des rues. Le lendemain, Georges Pompidou s'envole pour l'Iran où, dit-on, il va étonner ses interlocuteurs par sa connaissance de l'art persan. Le jour même, à Paris, on fait évacuer la Sorbonne.

La nuit du 3 au 4 mai est grondante d'émeutes dans la capitale. Le 6, Nanterre, la Sorbonne et Censier sont fermés sur l'ordre du gouvernement, dont Louis Joxe assure l'intérim. De très violentes échauffourées font plus d'un millier de blessés. Les esprits fermentent et l'air qu'on respire est, brusquement, plus frondeur. L'opinion, déjà, bascule en faveur des étudiants. Le 7, les incidents reprennent à Montparnasse. Irrité par l'ampleur des désordres, le Général réitère ses consignes de fermeté.

« Je me trouvais prêt à quitter l'Iran pour l'Afghanistan, écrit Georges Pompidou, j'eus alors un moment d'hésitation. Fallait-il interrompre mon voyage ? [...] Après tout, le général de Gaulle était à Paris et il saurait bien me rappeler s'il le jugeait utile. » Mais les choses se précipitent : « Je ne me souviens pas exactement de l'heure qu'il était à Kaboul, mais il devait être 6 heures du soir à Paris, c'était le vendredi 10 mai... Jobert m'apprit que la Sorbonne n'avait pas été rouverte (le Général s'y était opposé) et qu'il s'attendait à des incidents graves dans la nuit. Il m'invitait à rentrer d'urgence. »

Du fond de l'Afghanistan, le Premier ministre perçoit, pour la première fois, l'impétuosité de la houle qui s'enfle sous les lampadaires du Quartier latin. Il n'en conseille pas moins à Louis Joxe, qui siège jour et nuit à Matignon, de rester ferme, et il décide son retour.

La nuit du 10 au 11 est la plus sauvage de toutes. Des dizaines de barricades sont élevées sur le boulevard Saint-Michel, place de la Sorbonne, aux alentours du jardin du Luxembourg et rue des Écoles. C'est le Paris de Sorbon, d'Abélard, de François Villon, le Paris de vingt ans qui flambe. Il faut attendre le petit matin pour que les forces de l'ordre reprennent réellement le contrôle de la capitale et que l'on fasse le compte des arbres abattus, des magasins dévastés et des véhicules incendiés.

« De bonne heure, le samedi matin, écrit Georges Pompidou, je partis pour Paris. On avait écourté les cérémonies du départ et donné à la Caravelle instruction de gagner le plus de temps possible. Les nouvelles des incidents de la nuit au Quartier latin étaient consternantes. Outre la violence des affrontements, le gouvernement et les autorités s'étaient ridiculisés dans des négociations par radio avec Cohn-Bendit. La grève générale était ordonnée pour le lundi. Dans l'avion, je rédigeai l'allocution que je me proposais de prononcer à la télévision dès mon retour. » Elle est diffusée le soir même à 23 heures, après que le Premier ministre eut conféré avec le chef de l'État : « J'ai décidé, déclare Pompidou, que la Sorbonne serait librement ouverte à partir de lundi... »

Dans son esprit, il s'agit de rompre, tout de suite, le cercle vicieux de la provocation et de la répression. Pour ce faire, il faut agir aussi promptement que la rébellion. Pompidou concentre entre ses mains tous les pouvoirs et devient, en une nuit, à la fois ministre de l'Intérieur, ministre de la Justice, ministre de l'Économie et ministre de l'Éducation nationale. Bref, il assume personnellement l'ensemble de l'activité gouvernementale.

En face, tout étourdis de leur gloire, les meneurs raidissent d'abord leur attitude. Ils entraînent les étudiants à occuper à nouveau la Sorbonne. « J'aimais mieux donner la Sorbonne aux étudiants, écrit Pompidou, que de les voir la conquérir de haute lutte. » La question se pose alors de savoir si le général de Gaulle doit ou non remettre le voyage officiel qu'il lui faut accomplir en Roumanie. C'est une décision délicate. Rester, c'est reconnaître que la révolte étudiante pose un problème d'État. Partir, c'est risquer d'accréditer l'idée que le Général ne mesure pas la gravité de la situation, et donc attiser les braises. C'est pourtant le parti qui est arrêté d'un commun accord entre les deux hommes. Le 14 mai, s'adressant à l'Assemblée nationale, Georges Pompidou justifie le choix. « Au demeurant, Paris n'est qu'à quatre heures d'avion de Bucarest. De plus, le président de la République m'a remis avant son départ l'autorisation d'user des pouvoirs dont la Constitution prévoit délégation au Premier ministre en cas d'empêchement momentané ou d'absence du chef de l'État. Enfin, le général de Gaulle s'adressera, le 24 mai, au pays. »

De Gaulle s'envole. Il affiche la sérénité des grandes occasions. Il se veut, en Roumanie, l'ambassadeur itinérant de la nouvelle personnalité de la France. Il est conscient de ce qu'il incarne. Naguère il a déclaré : « La Résistance connut deux points d'appui : le tronçon d'une épée et la pensée française. »

Devant Ceauşescu venu l'accueillir à l'aéroport, il prononce, *en roumain,* une phrase d'amitié entre les deux peuples : « A tous les Roumains, j'apporte le salut que tous les Français leur adressent du fond du cœur. Vive la Roumanie ! »

Durant les trois jours que dure le voyage du chef de l'État, les grèves se déclenchent. De l'université, le mécontentement gagne l'usine. Les étudiants ont réussi à entraîner les ouvriers, bien que la C.G.T. fasse barrage à un mouvement qui ne représente pas ses préoccupations et ses objectifs. Quand de Gaulle revient, il se montre particulièrement irrité de constater que la situation s'est aggravée. Ce n'est pas faute, pour Pompidou, d'avoir cherché l'apaisement. « J'ai rendu l'université à ses maîtres et à ses étudiants, a rappelé le Premier ministre dans une allocution radiotélévisée du 16 mai, à 20 h 30. Je leur ai tendu la main pour la concertation la plus large et la plus constructive. J'ai libéré les manifestants arrêtés. J'ai annoncé une amnistie totale. Mes appels n'ont pas été entendus par tous. »

Le 19 mai, à 13 heures, de Gaulle ordonne de sa main à MM. le Premier ministre, le ministre de l'Intérieur, le ministre de l'Information, comme on fixe un objectif à une armée :

« 1° L'Odéon doit être évacué dans les vingt heures.

« 2° L'O.R.T.F. doit être protégée et n'employer pour l'Information que des éléments extrêmement sûrs.

« 3° Un avantage immédiat doit être donné à la Police. »

Mais les dés sont jetés et ils roulent sans tenir compte de la volonté du chef de l'État.

Le 24 mai, ainsi qu'il l'avait annoncé, le Général s'adresse à la nation. C'est peu de dire que son intervention est attendue. Chacun est friand de savoir comment est le de Gaulle d'après la contestation vociférante et multiple de son régime. « Tout le monde comprend d'emblée, évidemment, quelle est la portée des actuels événements, universitaires puis sociaux », dit-il. Et il annonce la décision qu'il a prise, sur la proposition du gouvernement, de soumettre aux suffrages de la nation « un projet de loi par lequel je lui demande de donner à l'État, et d'abord à son chef, un mandat pour la rénovation ».

C'est trop tard : dix millions de travailleurs ont cessé toute activité, les syndicats sont débordés par leur base. L'allocution du Général n'a aucun effet. Il reconnaît lui-même : « J'ai mis à côté de la plaque. »

Le 25 mai, débutent les négociations de Grenelle, souhaitées par le Premier ministre et préparées dans l'ombre depuis le 20 par Jacques Chirac, Édouard Balladur, Paul Huvelin, président du C.N.P.F. et Georges Séguy. Après une nuit entière de négociations acharnées, l'accord est conclu. Mais la base est tenue par une poignée d'extrémistes — les fameux « enragés » — qui s'opposent à la reprise du travail.

Les bruits les plus fous circulent alors. La grande statue au sommet de l'État aurait été ébranlée. Le Parti communiste tenterait un coup de force, notamment contre l'Hôtel de Ville en vue de rejouer la « Commune de Paris ». Les fantasmes historiques finissent de déstabiliser les esprits. Afin de prévenir toute éventualité, le Premier ministre fait mettre en alerte, à Satory, les blindés de la gendarmerie mobile, tandis que, dans l'ombre, les réseaux de la France libre se mobilisent une fois encore, pour s'opposer à une action violente des « séparatistes ».

La lumière a changé. Choses et gens ne se ressemblent plus. Dans les ministères et les administrations, les faiblesses se trahissent et les (rares) caractères émergent. Jacques Chirac, très impliqué dans les préparatifs de Grenelle, a conservé de Mai 68 le souvenir d'une période où se sont révélés les véritables hommes politiques. Pompidou dit avec humour : « Il m'arrive d'écarter le rideau de mon bureau à Matignon. Le garde républicain est toujours de faction devant la porte. Tout fonctionne encore. »

Quelle est alors la situation réelle dans le pays ? Certains ministres sont introuvables ; en province, les préfets sont isolés, parfois séquestrés, souvent démunis de toute force de police, impuissants. Les grèves et les émeutes prolifèrent. L'échec est patent. Au stade Charléty, Mendès France et Mitterrand tiennent un meeting commun : le pouvoir semble à portée de leurs mains. Waldeck-Rochet, au nom du Parti communiste, parle le plus simplement du monde du « gouvernement populaire ». C'est dans ce contexte que, le 29 mai, survient la soudaine disparition du général de Gaulle. Pour le coup, on peut croire que tout est perdu. Au matin, Jacques Foccart informe Michel Jobert, directeur de cabinet du Premier ministre, de l'ajournement du Conseil prévu et du départ imminent du Général pour Colombey. Vers 11 heures, de l'Élysée, de Gaulle joint au téléphone son Premier ministre : « Le Général lui-même m'appelle, raconte Georges Pompidou, ce qui n'était pas arrivé cinq fois en six ans. Il me dit qu'il n'a pas dormi de trois nuits, qu'il a besoin de prendre l'air et de réfléchir dans le calme, et qu'il sera là demain à l'heure prévue. » Soudain, de Gaulle coupe court et prononce ces mots absolument extraordinaires dans sa bouche : « Je vous embrasse. » Et il raccroche. Bouleversé,

Pompidou essaie de le rappeler, sans succès. Bernard Tricot lui répond qu'il est trop tard, que le Général descend l'escalier avec Mme de Gaulle. Certains ministres n'apprennent qu'en arrivant rue de Rivoli que le Conseil est ajourné.

A Matignon, Georges Pompidou reçoit les proches du Général en même temps qu'il donne des directives à propos de la manifestation communiste de l'après-midi. C'est alors que, vers 14 heures, arrive Bernard Tricot. Il est livide :

— Le Général est parti !

— Où ?

— On ne sait pas : les radars ont perdu toute trace de l'hélicoptère présidentiel.

« Je poussai un cri, rapporte Pompidou. Il est parti pour l'étranger ! On imagine sans peine le trouble qui me saisit. Ceux qui étaient avec moi étaient dans le plus parfait désarroi. Seul, Chaban trouvait encore la force de plaisanter. »

Voici Pompidou seul à la tête de l'État. Il lui appartient désormais de faire face à l'imprévisible. Car la nouvelle de la disparition de De Gaulle se répand dans toute la France. « Le général de Gaulle est parti pour Colombey. Le Conseil des ministres est reporté », titre *Le Matin*.

Vers 16 heures, de la Boisserie, le général de Boissieu téléphone à Jacques Foccart à l'Élysée pour lui demander de suspendre les recherches de l'hélicoptère présidentiel. Il lui annonce que le Général va voir Massu, mais qu'il ne connaît pas le lieu de la rencontre. Il croit savoir que le Général doit se poser à Mulhouse et y coucher chez son gendre, ainsi qu'ils en étaient convenus le matin. Dehors, il fait beau, le soleil brille sur Paris. Les deux heures suivantes, Pompidou les vivra dans l'incertitude du jeu que joue le Général. Il ignore tout de son état d'esprit et des dispositions qu'il est en train de prendre. « Ce n'était pas moi qui étais en question, écrit-il. C'était le général de Gaulle, la Ve République, et, dans une large mesure, la République tout court. »

A 18 h 30, de Gaulle téléphone de Colombey. Sa voix est ferme. Il confirme son retour et il maintient le Conseil du jeudi : « Vous voyez que vous avez eu tort de vous inquiéter. »

Qu'est-ce que le général de Gaulle est allé faire à Baden-Baden ? Celui qui en sait le plus l'a sans doute écrit dans le détail. J'étais alors président de Plon et avais publié sa *Bataille d'Alger*. J'ai eu l'occasion de voir le général Massu peu après les « événements », et il m'a dit qu'il avait noté, le soir même, le moindre détail de cette visite inattendue. Il devait recevoir ce jour-là des officiers soviétiques. Quelles têtes ils auraient faites s'ils avaient croisé le général de Gaulle sur le terrain d'aviation !

Le 30 mai, à 14 h 30, le Général accueille chaleureusement Georges Pompidou à l'Élysée. Entièrement retrouvé, il est sûr de lui, déterminé. Georges Pompidou, soucieux de lui remettre toutes les clés du pouvoir, est arrivé sa lettre de démission en poche. Elle mettait un terme à six ans de collaboration assidue. De Gaulle la refuse. En revanche, il acquiesce à sa demande de dissoudre l'Assemblée nationale et d'ajourner le référendum.

S'ouvre alors le Conseil des ministres...

Le temps, qui avait pris de Gaulle et son gouvernement de vitesse, a changé brutalement de camp. Les Français ont eu peur. A force de crier dans les rues : « Dix ans c'est trop ! » « De Gaulle au zoo ! » « C.R.S. : S.S. » ou « L'ancien monde est derrière nous ! », on a effrayé les braves gens. La disparition soudaine du vieux chef a fait le reste.

D'autant qu'on semble s'être lassé des violences, des grèves
à répétition et des menaces permanentes de coups de force.
Le cirque amuse déjà beaucoup moins. Georges Pompidou
l'a bien analysé : « On n'a pas le droit de précipiter un
peuple dans l'inconnu sous prétexte que c'est amusant de
détruire et que ce qui viendrait ensuite pourrait être meilleur. » La porte, laissée grande ouverte par le Général lors
de son incroyable escapade, a fait entrer un courant d'air qui
a glacé la majorité des Français. Ajoutons-y la désorgani-
sation de la vie quotidienne : courrier interrompu, ravitaillement compromis, argent bloqué dans les banques closes,
et, par-dessus tout, la raréfaction de l'essence et son
rationnement.

Le 30, un million de Français, brandissant des drapeaux
tricolores, avec à leur tête Michel Debré, André Malraux et
quelques autres gaullistes de la première heure, défilent. Une
fois encore « le vieux bonhomme » a gagné la partie.

Elle dut avoir pour le Général une saveur singulière, cette
ferveur qui montait des Champs-Élysées envahis et atteignait, au-delà du parc, le palais présidentiel ! « L'ouragan a
soufflé, dit le vieil homme, mais il n'a pas emporté de Gaulle
et son régime. »

☆

La France respire. Elle s'est offert un fantastique coup de
jeunesse et les adultes ont connu, l'espace de quelques nuits
flamboyantes, des émotions de Gavroche. Les étudiants en
folie leur ont offert la fête et la violence, et ils s'y sont mêlés
après un moment de surprise. Par chance, et du fait de
l'adresse des uns et des autres, il n'y a pas eu mort d'homme,
à l'exception de celle, accidentelle, d'un commissaire de
police à Lyon, et d'un étudiant à Flins. Les hommes politiques ont humé la brise, certains s'en sont enivrés jusqu'à

croire leur heure venue, d'autres se sont terrés. La classe ouvrière a emboîté le pas à la révolte mais la C.G.T. a basculé du côté de l'ordre. Et, aussi insensé que l'avaient été les premiers troubles quand les drapeaux noirs et rouges investissaient l'Odéon, le final sur les Champs-Élysées avait des allures de grand happening tricolore.

Le Soldat et le Normalien savent, maintenant que la tempête s'est apaisée, qu'il s'agit de concilier, ainsi que l'a déclaré Georges Pompidou devant l'Assemblée, dès le 14 mai, « ordre et liberté, esprit et conviction, civilisation urbaine et personnalité, progrès matériel et sens de l'effort, libre concurrence et justice, individualisme et solidarité ».

Gouverner c'est contraindre, mais c'est aussi, de temps à autre, opérer une révision déchirante afin de calmer l'impatience, l'irritation de l'équipage et des passagers du navire. Sorti des guerres et des combats, délivré de ses peurs, le pays a ressenti ses appétits et exprimé ses exigences.

Désormais, le général de Gaulle et son Premier ministre vont fonctionner en parfaite complémentarité. Ils se connaissent. Mieux, ils *se savent*. C'est en partie grâce à Pompidou que les affrontements entre manifestants et forces de l'ordre n'ont pas été meurtriers. Le Premier ministre, dans la tourmente, avait maintenu l'État. En revanche, si la stature du Général n'avait pas été telle, révérée ou vilipendée, Georges Pompidou, malgré les moyens dont il disposait, n'aurait pu endiguer, seul, le flot qui déferlait, ni déclencher la manifestation triomphale du 30 mai, alors que jamais, depuis les événements tragiques d'Algérie, l'avenir de la nation n'avait été autant menacé.

On a fait parfois grief à Georges Pompidou de sa gestion « débonnaire » de la crise, de la réouverture de la Sorbonne, de l'amnistie accordée aux premiers émeutiers et des négociations de Grenelle. Il semble cependant, selon les termes d'Édouard Balladur, que « l'attitude de Georges Pompidou est une réussite accomplie de l'art politique, accompagnant les mouvements de l'opinion sans les heurter et utilisant une faiblesse passagère pour retrouver une force durable. Elle se fonde aussi, estime-t-il, sur une conviction humaine, une attitude morale : tout faire pour éviter les drames inutiles, préférer l'atermoiement à la brutalité, ne rien céder sur l'essentiel mais temporiser sur ce qui l'était moins. Tout faire, enfin, pour que l'opinion, amusée, tout d'abord, puis abusée, prenne conscience de l'enjeu et que chacun se ressaisisse. Mais l'action finale du général de Gaulle, son départ impromptu de Paris à Baden-Baden, son retour dès le lendemain où il ressaisit les rênes, décidant, à la demande du Premier ministre, de différer le référendum et de dissoudre l'Assemblée, donne à la conclusion de l'affaire un tour à la fois inimitable et décisif. »

Chacun d'eux a joué son propre rôle, à sa place et selon son tempérament. A l'un la lucidité souple et la manœuvre, à l'autre le mystère et le génie du renversement de situation. La France de Mai s'est donnée une représentation à grand spectacle. Comme dans les tragédies de Shakespeare, le seul « poète » étranger que Pompidou cite dans son questionnaire de Proust, s'y sont trouvés mis en scène le bon sens et la démesure, le souci du concret et l'art de faire basculer le destin. Il fallait une représentation de cette puissance pour mettre un terme à ce qui était apparu comme irrépressible.

Pendant quelque temps, les choses semblent se remettre en place. Le 31 mai, le gouvernement est remanié par un chassé-croisé : Couve de Murville permute avec Debré et échange le ministère des Affaires étrangères, si longtemps occupé, contre les Finances. Le 5 juin, le travail reprend à Électricité de France, dans les Charbonnages et dans la sidérurgie, le 6 à la S.N.C.F., le 7 dans les Postes et Télécommunications. De Gaulle, à qui, le même jour, on pose la question : « Pourquoi avez-vous quitté Paris le 29 mai ? »

répond : « Le 29 mai, j'ai eu la tentation de me retirer à Colombey. Et puis, en même temps, j'ai pensé que, si je partais, la subversion menaçante allait déferler et emporter la République. Alors, une fois de plus, je me suis résolu. Vous savez, depuis quelque chose comme trente ans que j'ai affaire à l'Histoire, il m'est arrivé quelquefois de me demander si je ne devais pas la quitter. » Le général de Boissieu précise : « Mon beau-père m'avait fait part, le matin à l'Élysée, de son projet d'adresser depuis Colombey, un "avertissement" aux Français leur disant qu'il ne reviendrait à Paris que lorsque la situation serait redevenue normale. » Et il ajoute : « Je me suis appliqué à l'en dissuader. » C'est clair : de Gaulle, du fait même de ce lien, privilégié et terrible, qu'il se reconnaît avec l'Histoire et dont il s'enorgueillit, ne joue pas au même jeu que les autres. Un jour, à Colombey, il me dira, sans acrimonie et le plus naturellement du monde, parlant de son Premier ministre : « Il n'avait qu'à pas regarder la France par-dessus mon épaule ! »

Il est donc parfaitement naturel, aussi paradoxal que cela paraisse, que les relations entre les deux hommes ne soient plus les mêmes après Mai 68. Les événements ont pesé si lourd sur la partie qu'on a dû déroger au principe, inexprimé mais formel, du domaine réservé. Pas celui dont parle la Constitution, mais celui qui découle du caractère *unique* de la légitimité du Général. Il est, une fois pour toutes, « l'homme du destin », comme l'a dit Churchill, dès 1940, à l'heure de la débâcle nationale. Pendant la crise de Mai, il semble bien, aux yeux du Général, que tout le monde, à un moment ou à un autre, l'ait un peu oublié...

En procédant à la dissolution de l'Assemblée nationale, de Gaulle n'hésite pas à déclarer : « Je dirai que depuis qu'elle a été élue, c'est-à-dire l'année dernière, elle avait vocation d'être dissoute. » Au fil des premiers jours d'été, le tonus ne cesse de croître. « Le mois dernier, tout s'en allait ! » lance-t-il le 29 juin entre les deux tours des élections législatives sur le ton de celui qui a remis la maison en ordre. C'est un véritable raz de marée : au premier tour, sur 154 sièges pourvus, 144 sont attribués à des candidats favorables au gouvernement. Le 10 juillet, Georges Pompidou présente la démission de son gouvernement.

Que se passe-t-il alors ?

« Dimanche 14 juillet, écrit François Mauriac dans son "Bloc-Notes", je regarde pleuvoir à travers le petit écran sur le nouveau ministère transi et sur cette revue ratée, ressentant malgré moi un peu de tristesse, sinon de l'amertume, que certains prêtent à Georges Pompidou... »

Amertume ? Pourquoi ? Nous en avons l'explication dans la lettre que, le 23 juillet, Georges Pompidou écrit à François Mauriac :

« [...] comme vous l'avez deviné, cette crise surmontée puis cette victoire électorale m'ont troublé plus qu'exalté et après avoir tenu dans la tourmente, j'ai éprouvé un immense besoin de m'écarter afin de me retrouver. Je l'ai dit au Général de moi-même, dès avant le deuxième tour, et je le lui ai répété par la suite. Il n'en est pas moins vrai que les pressions dont j'ai été l'objet de la part de tous ceux à qui j'ai dit ma lassitude et que l'accusation de "trahir" ceux qui m'avaient fait confiance m'ont conduit, finalement, à faire dire au Général — c'était le samedi 6 juillet — que, s'il le fallait, j'étais prêt à continuer. Le Général m'a fait répondre que "c'était trop bête" mais qu'il avait, la veille au soir, demandé à Couve de Murville d'être Premier ministre, et que ce dernier avait accepté. »

☆

Jacques Foccart, qui avait la confiance du Général et l'amitié de Georges Pompidou, souligne bien les interrogations des uns et des autres à l'issue de la crise de Mai. « Georges Pompidou, écrit-il, a été lui-même hésitant. Il avait grande envie de prendre du champ, tandis que le Général me confiait : "Il y a le problème du Premier ministre. Je ne sais vraiment pas que faire. Manifestement, il est fatigué, il veut se reposer et prendre du champ. Il s'est créé une stature, une popularité incontestable et méritée. S'il y avait des élections présidentielles, il serait élu. Il faut le réserver pour cela." »

C'est le sens de la lettre que de Gaulle a fait tenir le 10 juillet à son Premier ministre démissionnaire :

« Là où vous allez vous trouver, sachez mon cher ami que je tiens à garder avec vous des relations particulièrement étroites. Je souhaite, enfin, que vous vous teniez prêt à accomplir toute mission et à assumer tout mandat qui pourraient, un jour, vous être confiés par la nation. »

Aux dernières lignes de sa missive à François Mauriac, Pompidou écrit, avec une certaine raideur :

« Quant au Général, il est évident que mon désir de retraite rencontrait son désir d'être, sans conteste, seul à gouverner jusqu'au jour de son propre retrait. A cela non plus rien à dire, sinon que j'aurais préféré qu'il me le déclarât dès le départ. Mais je le connais assez et je l'admire trop pour ne pas savoir et ne pas admettre qu'il ne se livre jamais complètement à personne. »

II

« Le cadavre d'un homme assassiné »

« C'est, je crois, dans les derniers jours de septembre 1968 qu'on découvrit, dans une décharge des Yvelines, le cadavre d'un homme assassiné. » Ainsi commence, pour Georges Pompidou, ce qu'on a appelé l'affaire Markovic. Avant d'y pénétrer, il convient de se remémorer l'atmosphère qui règne en France en ce premier automne qui suit la tourmente de Mai.

Le gouvernement de Maurice Couve de Murville, installé depuis le 17 juillet, a eu la redoutable mission d'annoncer à l'Assemblée le projet de référendum sur la création de régions et sur la réforme « corrélative » du Sénat ; l'accueil a été très réservé. Du message délivré au milieu de la « chienlit », de Gaulle semble avoir retenu la nécessité d'innover et il veut à toute force, entre les deux idoles chancelantes du XIXᵉ siècle, le communisme et le capitalisme, ouvrir une voie nouvelle : celle de la participation. « Il s'agit que l'homme, bien qu'il soit pris dans les engrenages de la société mécanique, voie sa condition assurée, qu'il garde sa dignité, qu'il exerce sa responsabilité, dit-il. Il s'agit que, dans chacune de nos activités, par exemple une entreprise ou une université, chacun de ceux qui en font partie soit directement associé à la façon dont elle marche, aux résultats qu'elle obtient, aux services qu'elle rend. Bref, il s'agit que la participation devienne la règle et le ressort d'une France renouvelée. »

Le Général, au lendemain de la tornade, a résolu de couler les fondations de son grand œuvre. Il y a quelques semaines, lorsqu'il s'est envolé pour Baden, la partie paraissait perdue. Au début de juin, il a confié à son Premier ministre : « Pour la première fois de ma vie, j'ai eu une défaillance, je ne suis pas fier de moi. » La phrase, citée par Georges Pompidou dans son ouvrage *Pour rétablir une vérité*, s'appliquait, sans doute, dans l'esprit du Général, non à l'épisode Baden-Baden, coup de surprise réussi, mais à l'ensemble des événements de Mai où de Gaulle estimait avoir été pris de vitesse par la conjoncture. La crise passée, le recours paraissait clair : c'était Georges Pompidou. De Gaulle l'avait expressément désigné dans une lettre, confiée au général de Boissieu, qui déléguait à son Premier ministre « tous les pouvoirs ». Quelle légitimité aurait conférée cette missive si le malheur des temps avait conduit à en faire usage ?

Une chose est sûre : désormais, et qu'ils le veuillent ou non, les relations entre les deux hommes ne peuvent plus être exactement ce qu'elles étaient. C'est un peu comme dans une famille après la découverte d'un secret. On ne *vit* plus l'autre de la même façon. Au mieux s'applique-t-on à ne pas remarquer la différence, mais elle est bien là. Les deux protagonistes en savent, chacun, plus sur l'autre. On ne peut parler de méfiance, mais pèse tout de même, et en permanence, ce qu'on a appris. La pression constante de la presse sépare davantage encore le Soldat et le Normalien. « La radio et la télévision, écrit Georges Pompidou, avaient joué leur rôle. De même qu'elles avaient amplifié la crise et parfois contribué, sinon à créer, du moins à aggraver l'émeute, elles m'avaient mis en vedette. J'avais cherché à éviter l'excès, notamment en refusant de me rendre à la manifestation du 30 mai sur les Champs-Élysées, malgré les instances de Chaban-Delmas et de quelques autres. Mais ce n'en était pas moins moi... qui avais tenu. Le Général avait été "absent". Il n'est jusqu'à son voyage triomphal en Roumanie qui n'ait aggravé cette impression. La suite, dans les esprits, se préparait. »

On sait l'importance que revêt un événement mondain lorsqu'il tourne à la démonstration politique. Les films romanesques sur les époques à uniformes et à robes de bal ne sont pas avares des ovations faites à un personnage ou à un couple qui apparaît sur le devant de sa loge avant que ne commence le spectacle. C'est ce qu'il advient un beau soir d'automne à l'Opéra lorsque s'installent Georges et Claude Pompidou, accompagnés de François et Jacques Gall. La salle entière se retourne, salue et applaudit longuement. Bien sûr, le lendemain, la ville le sait. On le répète. Le Général l'apprend sans doute. Il est facile de laisser entendre qu'on n'est pas ovationné innocemment. « Je ne sais pas ce qu'est le destin », fait dire Giraudoux à Andromaque, et Cassandre répond : « Je vais te le dire. C'est simplement la forme accélérée du temps. C'est épouvantable. »

Après les grandes vacances d'été passées en famille en Bretagne, Georges Pompidou s'est installé boulevard La Tour-Maubourg, entouré de ses proches collaborateurs. « Nous nous sommes retrouvés à cinq ou six pour organiser une attente sans précipitation qui pouvait avoir quelque charme après tant de travail, écrit Michel Jobert. Pour moi, pour Édouard Balladur qui était mon vis-à-vis dans le salon-bibliothèque, cet automne s'annonçait comme une période plus sereine. L'ancien Premier ministre restait attentif aux dossiers gouvernementaux comme s'ils avaient été les siens. Il en avait une parfaite connaissance ! Il s'informait, analysait, recevait, écoutait, toujours avec l'apparent détachement que lui permettaient sa rapidité de travail et son esprit de clarification. »

La situation est enviable car la popularité de l'homme est très grande. Les Français lui sont, à tout le moins, reconnaissants d'« avoir été là ». Elle est délicate, car le moindre mot peut être interprété comme la manifestation d'une ambition, d'une impatience, ou, pour les plus malintentionnés, d'une trahison à l'égard du Général. Georges Pompidou, dégagé de toute responsabilité officielle, se borne, d'une part, à remplir son mandat de député du Cantal conquis en 1967 — qui le rapproche encore davantage de Jacques Chirac, auquel on lui voit manifester une estime affectueuse —, et, d'autre part, à se tenir informé des problèmes nationaux — d'abord parce que le Général le lui a formellement recommandé dans sa lettre du 10 juillet, ensuite parce qu'il est, désormais, dans sa nature de ne pas les perdre de vue. Le Normalien est devenu un homme politique à part entière. Il ne peut plus, lui non plus, se passer de la France. Il ne va pas tarder à mesurer les conséquences impitoyables de la célébrité, que Chamfort définit ainsi : « L'avantage d'être connu de ceux qui ne vous connaissent pas. »

« L'affaire Markovic, écrit Pierre Viansson-Ponté, est issue de ce monde souterrain où truands, indicateurs, tueurs, maîtres chanteurs et ceux qu'on appelle les barbouzes grouillent dans l'ombre, tantôt utilisés tantôt rejetés par certains milieux parisiens frelatés et par certains clans policiers plus ou moins politisés [...]. Qui, cette fois, touchant d'un côté à ce grouillement et de l'autre à la politique, a eu l'idée, pour se sortir sans doute d'un mauvais pas et transformer un crime en manœuvre de haut vol, de tenter de compromettre un grand personnage tombé en disgrâce ? Quel Vidocq a fait la liaison entre ceux qui cherchaient précisément des moyens de lui barrer définitivement la route et ceux qui avaient besoin de brouiller les pistes pour ne pas être inquiétés ? »

Qui ?

Depuis, quinze ans ont passé et rien n'est remonté du cloaque. Plus le temps s'écoule, plus l'actualité nous montre que les « montages » deviennent monnaie courante dans le combat politique, industriel, médiatique ou financier. L'honneur des gens n'est plus à l'abri de rien. Il suffit d'une fausse nouvelle délibérément « accrocheuse » pour que, médias aidant, l'horreur prenne des proportions inimaginables. Quand Georges Pompidou a-t-il eu pour la première fois, vent de la calomnie ?

Juste après les vacances de la Toussaint 1968. « Vraies vacances, écrit-il, en famille, sans souci et dont je rentrai plein de bonheur. » A peine est-il à son bureau de La Tour-Maubourg que l'un de ses anciens collaborateurs, M. Jean-Luc Javal, demande à le voir. Il le reçoit. « Jean-Luc Javal est un habitué des dîners parisiens et un des hommes qui savent tout sur ce qui se raconte. J'en ai aussitôt la preuve. Avec beaucoup de courage, il me tient ce langage : "Il faut que vous sachiez ce que personne n'ose vous dire. La 'femme d'un ancien ministre' dont tout le monde parle à propos de l'affaire Markovic, c'est *votre* femme, et ce que je puis vous assurer, c'est que, dans les dîners en ville, dans les salles de rédaction, il n'est question que de cela !" »

La terrible partie est engagée. Consultés, Jobert et Balladur confirment. Puis les langues se délient. Le directeur de cabinet du ministre de l'Intérieur dévoile que dans une lettre écrite par un détenu, lui aussi d'origine yougoslave, et qui a été interceptée par le service pénitentiaire, l'homme affirme avoir été amené par des amis, en 1967 ou 1968, à une soirée organisée dans une villa des Yvelines. A la sortie, on lui aurait dit : « Tu as vu la grande femme blonde qui était là ? Silence. C'est la femme du Premier ministre. »

Dans les médias, et plus encore dans les dîners parisiens, la rumeur, soigneusement entretenue, court et devient immonde.

☆

« On imagine mes réactions, écrit Georges Pompidou. Elles furent violentes. De fait, je n'avais pas songé une seconde aux répercussions possibles sur ma carrière politique. Je ne pensais qu'à ma femme, j'imaginais son drame, et, je l'avoue, je craignais le pire. Rarement ai-je été aussi près du désespoir. »

Il faut remonter vingt-cinq ans en arrière pour mesurer l'ampleur de l'émotion que l'homme a dû ressentir. Du même coup, on prend conscience de l'incroyable détérioration du sens moral dans notre société en un laps de temps aussi court. Aujourd'hui tout le monde est prêt, d'avance, à tout croire. Surtout le pire. C'est à ce résultat que nous ont menés, outre la félonie politique, la soif inconséquente du *scoop*, le culte barbare de l'Audimat et la banalisation des canailleries ordinaires. Que faire devant un écran noir où s'inscrivent des contre-vérités qu'on ne peut démontrer puisqu'elles ne s'articulent sur rien ? Comment prouver l'inexistence de ce qui n'a pas été ? On sait maintenant que, pour compromettre une personne, il suffit de laisser entendre *un fait* sans réalité et sans le moindre lien avec elle. On crée ainsi plus qu'un discrédit, un *doute*. Le pire, c'est quand on vous plaint, non pas d'être calomnié mais d'être ainsi torturé à propos d'une faiblesse, après tout, aux yeux de certains, excusable.

Il fut un temps où les hommes s'en prenaient aux hommes — de même que les guerriers se tuaient entre eux. Le terrorisme et la prise d'otage ont fait de la guerre une activité méprisable.

Georges Pompidou, rentré chez lui, quai de Béthune, y retrouve sa femme qu'on a voulu abîmer et détruire — afin de l'atteindre lui. Il ne pense qu'à elle, mais, déjà, doit méditer cette phrase lumineuse du cardinal de Retz : « Ceux qui sont à la tête des grandes affaires ne trouvent pas moins d'embarras dans leur propre parti que dans celui de leurs ennemis. »

☆

Et le Général ? Il a fort à faire car son action n'est plus aussi bien perçue qu'autrefois, son prestige a un peu souffert, et aucun péril ne semblant menacer la France, on ressent beaucoup moins que dans la bourrasque la nécessité de sa présence à la tête de l'État. Lui-même n'a plus, avec le vieux pays, les rapports désormais légendaires des temps de la Libération et du retour. Quand, le 9 septembre, juste avant que ne souffle le vent mauvais, il répond à Michel Droit devant les caméras de télévision, il rend hommage à Georges Pompidou :

« Je dirai qu'après avoir fait tout ce qu'il a fait au cours de six ans et demi de fonction — durée qui n'a aucun précédent depuis quatre générations —, et montré au cours de la secousse de mai-juin une exemplaire et salutaire solidité, et contribué si bien au succès national des élections, il était bon qu'il fût, sans aller jusqu'à l'épuisement, placé en réserve de la République. C'est ce qu'il souhaitait. C'est ce que j'ai décidé en l'invitant, comme on le sait, à se préparer à tout mandat qu'un jour la nation pourrait lui confier. »

Dès que le témoignage d'un certain Akov parvient au Garde des Sceaux, M. René Capitant, celui-ci le communique au ministre de l'Intérieur, Raymond Marcellin. A la Toussaint, de Gaulle reçoit la visite de Bernard Tricot qui vient, à la demande du ministre de la Justice, le tenir au courant de l'« affaire ». « J'ai entendu, écrit le général de Boissieu, des éclats de voix à travers la porte. Le Général était furieux et outré qu'on ait "bavé" sur madame Pompidou. » De retour à Paris, de Gaulle réunit son Premier ministre et les deux ministres concernés. Il leur explique qu'on ne doit en rien entraver l'enquête en cours, et qu'il convient de le tenir au courant. C'est la mission dont s'acquittera Pierre Somveille.

« J'étais indigné, écrit Pompidou. Ainsi, ces hommes, dont plusieurs connaissaient bien mon ménage, avaient plus ou moins cru à la véracité des faits puisqu'ils jugeaient que l'enquête pouvait se poursuivre dans cette voie ! Ainsi, le Général lui-même, qui connaissait ma femme depuis si longtemps, n'avait pas tout balayé d'un revers de main ! » C'est là, n'en doutons pas, le moment crucial du drame. Il existe dans toute tragédie. Brusquement, les protagonistes changent de visage. Racine, dans sa préface à *Britannicus*, parle de « cette tristesse majestueuse qui fait tout le plaisir de la tragédie ».

« Je demandai à voir le Général, dit Georges Pompidou. D'un commun accord, la rencontre fut tenue secrète. J'entrai par le parc et pénétrai dans le bureau du Général. » Comme les événements se bousculent ! Hier, Premier ministre au cœur de la tempête, le même homme emprunte la grille du Coq qui donne sur les jardins des Champs-Élysées, pour s'entretenir avec un personnage historique qui, six mois plus tôt, au matin de Baden-Baden, lui disait au téléphone : « Je vous embrasse. » Il monte l'escalier que le Général et son épouse ont descendu ce jour-là quand il était trop tard pour les rappeler...

« Mon Général, j'ai trois choses à vous dire :

— Je connais assez ma femme pour savoir qu'il est impensable qu'elle se trouve mêlée si peu que ce soit à cette affaire.

— On cherchera peut-être à "me mettre dans le coup". Nulle part on ne me trouvera. Je n'en dirai pas autant de tous vos ministres.

— Ni place Vendôme, chez M. Capitant, ni à Matignon, chez M. Couve de Murville, ni à l'Élysée, il n'y a eu la moindre réaction d'homme d'honneur. »

Le Général regarde son ancien Premier ministre et réagit faiblement :

« Mais moi je n'ai jamais cru à tout cela, dit-il. J'ai demandé qu'on vous prévienne.

— Je ne mets, bien sûr, pas en doute votre attitude personnelle, mon Général », répond Georges Pompidou.

L'entretien est terminé.

☆

Au cours de l'automne et de l'hiver 1968, tout en préparant son référendum sur la régionalisation, la participation et la réforme du Sénat, de Gaulle voyage. Il se rend à Bonn et en Turquie. En France, il suspend la dévaluation du franc qui avait été annoncée. Autour du couple Pompidou, le harcèlement s'accentue : « M. Granval, écrit l'ancien Premier ministre, allait trouver M. Chaban-Delmas pour l'inviter à se tenir prêt à prendre la succession du Général, car "Pompidou, c'est fini. L'affaire Markovic l'a tué". »

On enterre vite les vivants en cette terrible saison. Trois mois plus tôt, le 10 juillet, le même Gilbert Granval écrivait au Premier ministre : « Vous occupez, vous le savez, une grande place dans le cœur des Français et, seul, le général de Gaulle pouvait se permettre, sans pour autant éviter des très sérieuses réserves, de mettre un terme à vos fonctions. Mais ce n'est, j'en suis convaincu, qu'un intermède destiné à vous permettre de prendre votre élan vers le sommet. »

Les vœux de fin d'année sont toujours le prétexte à des échanges épistolaires. La lettre en date du 5 janvier que le Général adresse à Georges Pompidou semble marquer entre eux la fin de la tiédeur. De Gaulle accompagne ses vœux de

la confirmation de son « estime » et de son « amitié ». Il
ajoute : « Ce que vous m'écrivez au sujet de votre état d'âme
ne peut manquer de me toucher. Mais je voudrais beaucoup
que vous ne vous laissiez pas impressionner par les ragots,
même s'ils sont grotesques et infâmes, que l'on a dirigés
contre vous. » Et conclut : « A un certain plan, rien ne
compte que l'essentiel, c'est-à-dire ce que l'on a fait et ce
qu'on a conscience d'être. »

La grandeur est revenue. Le Général donnerait sans doute
tout au monde pour que l'ouragan de Mai n'ait jamais eu
lieu et n'ait pas mis en relief la fragilité, même temporaire,
des institutions et des hommes. Il se tient lui-même sur les
hauteurs. Ni la « chienlit » étudiante d'hier ni la bassesse de
l'affaire Markovic d'aujourd'hui, chacune dans leur genre,
ne correspondent à l'idée qu'il se fait de la conduite des
affaires de la France. Mais l'homme de pouvoir qu'il est n'a
pas pu ne pas prendre ombrage de la nouvelle stature de son
Premier ministre. Les vilenies rassemblées et ressassées à
son encontre l'indignent, mais ne l'étonnent sans doute
guère. Lui-même, qui, jusque-là, n'avait connu que la haine
des uns et l'adhésion inconditionnelle des autres, a été bro-
cardé dans les rues et moqué en effigie. Il est aux affaires
et la barre est dure à tenir. Pompidou a le temps de songer
à son avenir. Qu'il éprouve, lui aussi, quelques contrariétés
n'est, au fond, que juste retour des choses d'ici-bas. Sans
nul doute, de Gaulle méprise les détracteurs et leurs
méthodes, mais il n'est pas loin de penser que l'injustice et
l'opprobre forment les hauts caractères. Il décide de recevoir
son Premier ministre, et, cette fois, officiellement, par la
grande porte.

« Je lui indiquai, écrit Pompidou, que je comptais d'abord
me rendre en Italie et au Vatican, puis, probablement, en
Grande-Bretagne, après quoi je visiterais les États-Unis... Le
Général approuva entièrement mes projets. Nous nous quit-

tâmes sur des mots de lui qui signifiaient : "Vous voyez bien que la calomnie ne résiste pas à l'épreuve des faits." »

Georges Pompidou ressort de l'Élysée rasséréné : « Si j'avais des doutes, désormais je n'en ai plus aucun. Le Général m'a fixé la ligne à suivre et nous sommes tout à fait sur la même longueur d'onde. »

☆

C'est compter sans les « autres ».

Les autres ne désarment jamais. Ils sont le chœur misérable de toutes les grandes aventures auxquelles ils n'accéderont pas. Ils sont mus par l'envie, carburant inépuisable. Il leur semble toujours que le destin a été inattentif à leur égard et qu'il réserve ses ensoleillements à des hommes qui ne les valent pas. Ils s'irritent et s'impatientent. L'audience accordée par le chef de l'État à son ancien Premier ministre les rend nerveux. Ils redoutent, sans doute sans le connaître, l'axiome du cardinal de Retz : « En fait de calomnie, tout ce qui ne nuit pas sert à celui qui est attaqué. » Puisque la cible est toujours vivante, elle risque de devenir dangereuse. La malveillance est en alerte. Il faut à tout prix prouver ou laisser supposer que depuis de longs mois Pompidou conspire contre de Gaulle dont il veut prendre la place. La parabole du serpent que l'on a réchauffé dans son sein fait toujours recette.

« Je partis donc pour Rome avec ma femme, écrit Pompidou. Nous étions heureux de revoir cette merveilleuse ville, de retrouver nos amis Brouillet (il y était ambassadeur). Nous allions pouvoir profiter de quelques jours de détente. » Réceptions, conférence de presse, tout semble se passer sans encombre, « convenable et un peu terne ». Mais le coup se prépare. Ou bien, vient-il tout seul ? La nuit se passe.

« Le lendemain, nous devions, ma femme et moi, être reçus par le Saint-Père. Je m'habillais (l'habit était de rigueur) dans le petit salon attenant à notre chambre quand le téléphone sonna. Je décrochai : stupeur, au bout du fil, directement, Charpy, de *Paris Presse*.

— Tiens, lui dis-je, vous êtes à Rome ?

— Non je vous téléphone de Paris, votre déclaration a fait un bruit énorme.

— Quelle déclaration ?

— Votre candidature à la présidence de la République.

— Vous plaisantez : je n'ai rien déclaré du tout. J'ai dit ce que j'ai dit cent fois, y compris à vous-même, que, le jour où le général de Gaulle se retirerait, il y avait bien des chances pour que je me présente. Mais ce n'est pas pour demain !

— Je vous assure, on ne parle que de cela, je suis obligé d'en faire la nouvelle du jour.

— Je vous demande, soyez raisonnable, il n'y a vraiment rien à dire là-dessus.

« Je raccrochai car l'heure me pressait si je voulais être exact au Vatican. »

☆

Lors d'un colloque sérieux, consacré pour une part aux relations entre le chef de l'État et son ancien Premier ministre, un élément nouveau a été versé au dossier : la conversation téléphonique que rapporte Georges Pompidou *aurait été enregistrée par des Services spéciaux*, sans doute étrangers.

On se doit ici de citer intégralement le témoignage du général de Boissieu publié dans son ouvrage *Pour servir le Général* :

« Cette affaire (Rome) me paraissait tellement étrange que je me suis efforcé aussitôt de l'éclaircir. Grâce à un ami italien qui m'a demandé de taire son nom, j'ai pu me procurer l'enregistrement de l'interview en cause. L'affaire ne s'est pas du tout passée comme elle a été présentée. La première question des journalistes était : "M. Pompidou, êtes-vous ici en mission officielle ou en voyage privé ?" Georges Pompidou : "A partir du moment où un ancien Premier ministre apporte une lettre du président de la République française au président de la République italienne, je vous laisse le soin de conclure vous-mêmes." Deuxième question : "Que signifie pour vous d'avoir un destin national ?" Georges Pompidou : "Je me pose la question comme vous, si vous avez une explication ou une hypothèse je suis prêt à l'entendre !" Troisième question : "Est-ce que vous serez candidat à la présidence de la République ?" Georges Pompidou : "Pour être candidat à une fonction il faut qu'elle soit vacante, or ce n'est pas le cas ; si je vous disais que je ne serai pas candidat vous ne me croiriez pas, alors à quoi bon poursuivre cet entretien ?"

« Il y a loin de cette interview, résumée et reconstituée grâce à une cassette, à la dépêche de l'Agence France-Presse qui mit le feu aux poudres à Paris. »

Alors un nouveau *scoop* éclate. L'A.F.P. lance une dépêche sur le thème « Je suis candidat et je ne suis pas pressé » qui, à la limite, peut signifier que, le moment venu, Pompidou poussera volontiers de Gaulle dehors. C'est ce qu'on a appelé « la déclaration de Rome ».

Séparée de son contexte, présentée par la presse comme une déclaration officielle de candidature alors qu'elle n'est que la confirmation naturelle de ce que chacun sait, la phrase, soigneusement attisée, provoque, en l'absence de l'intéressé, la colère de l'Élysée. Il s'ensuit, cinq jours plus tard, à l'issue du Conseil des ministres, un communiqué sec dans lequel le Général déclare qu'il a l'intention de remplir son mandat jusqu'au bout. Un pas de plus a été accompli pour distendre les liens encore puissants qui unissent Georges Pompidou et le Général.

Le communiqué est daté du 20 janvier 1969. Quinze jours à peine se sont écoulés depuis la lettre dans laquelle de Gaulle assurait son Premier ministre de son estime et de son amitié, six mois depuis celle où il lui demandait, alors que Georges Pompidou quittait Matignon : « Tenez-vous prêt. » Rarement relations humaines au sommet de l'État se sont aussi vite dégradées.

Les « comploteurs » — s'il y en a — ont visé juste. Leur calcul est bon puisque, ne pouvant rester sans réaction sous peine de paraître coupable ou dissimulé, Georges Pompidou, un mois plus tard, à Genève, confirme, en lui redonnant son sens initial, ce qu'il a dit au téléphone à Charpy. Il le fait devant la radio suisse. Comme on lui demande : « Comment voyez-vous votre avenir politique ? » il répond : « Je n'ai pas d'avenir politique au sens où vous l'entendez. J'aurais peut-être, et si Dieu le veut, un destin national. »

☆

A Paris, l'affaire Markovic mijote toujours sur le feu des ragots. On y mêle à présent les noms d'Alain Delon et de Mireille Darc, que l'on voit, au journal télévisé, se rendre séparément à la convocation du juge d'instruction. Un certain Alexandre Markovic, frère du mort, a déclaré avoir dîné dans la cuisine de l'acteur avec l'ancien Premier ministre et son épouse. A quoi Delon répond que si le couple Pompidou lui avait fait cet honneur « ça ne se serait pas passé dans la cuisine ». Parmi ceux qui se montrent assidus à défendre l'ancien Premier ministre et à fustiger ses accusateurs, Pompidou nommera Jacques Chirac, « il fut le plus fidèle et le plus ardent », et Marie-France Garaud, « d'une efficacité extraordinaire ».

Trop, c'est trop. A force de tirer à vue sur Pompidou, des coups s'égarent dont certains, peut-être, sont destinés au Général. En tout cas, à la veille d'une consultation populaire qui s'annonce ardue, le régime gaulliste tout entier finit par être atteint. Le Général le sent. Il invite M. et Mme Pompidou à dîner et le fait savoir. Fort habilement, il convie en même temps M. et Mme Debré. Ce n'est plus une preuve d'amitié et de confiance retrouvées, c'est « le dîner des anciens Premiers ministres ».

« Le dîner fut morne, écrit Georges Pompidou. Debré était fatigué. Moi-même peu enclin aux épanchements. Ni Mme de Gaulle, par réserve habituelle, je pense (car elle fut toujours parfaite à notre égard et particulièrement à l'égard de ma femme), ni le Général, par gêne, je suppose, n'eurent un mot du cœur. »

Le moment finit par venir où les deux hommes s'isolent, brièvement.

« Je n'ai rien dit à Rome et on m'a trahi.

— Mais vous avez récidivé.

— Mon Général, le gouvernement et vous-même aviez pris une position qui m'obligeait, pour ma dignité même, à ne pas me démentir. Mais chacun sait que ce n'est pas actuel. »

« On s'en tint là, dit Georges Pompidou, et on se quitta de bonne heure. »

On s'en tint là. On se quitta de bonne heure. Ils se sont vus pour la dernière fois.

Le quai de Béthune est proche. Il y bat le cœur de Paris, et, dans la nuit d'hiver, la Seine coule, sombre, sous les grands arbres dépouillés. Peut-être le Normalien se répète-t-il pour lui-même les deux vers de la première scène de l'acte I de *Britannicus* :

— *Quels effets voulez-vous de sa reconnaissance ?*

— *Un peu moins de respect, un peu plus de confiance !*

De son côté, de Gaulle, dans son palais, prépare-t-il l'allocution qu'il prononcera pour exposer aux Français le sens d'un référendum qui, à ses yeux, revêt, désormais, une dimension sacramentelle ? Le 11 mars, devant les caméras et les micros, il veut encore en persuader ses compatriotes : « Françaises, Français, ! C'est donc une grande décision nationale que vous allez avoir à prendre. Par la force des choses et des actuels événements, le référendum sera, pour la nation, le choix entre le progrès et le bouleversement. Car c'est bien là l'alternative. Quant à moi, je ne saurais douter de la suite. Car, aujourd'hui, comme depuis bien longtemps et à travers bien des épreuves, je suis, avec vous, grâce à vous, certain de l'avenir de la France ! »

☆

Devant son poste de télévision, Georges Pompidou écoute la voix familière et regarde le vieux lutteur. Il trouve, avec chagrin, que le Général manque de flamme. « Le sujet est trop mince, trop ingrat pour soutenir le verbe. » Par trois fois, les jours précédents, il a confié à Jacques Foccart un message destiné au chef de l'État pour le détourner d'une épreuve qui, selon lui, ne s'impose pas et dont l'issue lui paraît hasardeuse. Il est trop tard. De Gaulle n'est plus joignable. Il est entré dans l'arène et n'en sortira plus que vainqueur ou vaincu. A Colombey, il confiera au colonel d'Escrienne : « J'ai fait ce référendum parce que je croyais — et je crois encore — qu'il fallait le faire, mais en envisageant, c'est vrai, toutes les conséquences qui pouvaient en résulter, y compris mon départ. Je ne le souhaitais pas pour autant. »

☆

Pour sa part, Pompidou s'engage résolument dans la campagne du « oui » au référendum. Le 25 avril, il parle à Lyon devant une foule enthousiaste, mais composée de convaincus. Avant le meeting, il dîne avec Louis Joxe et les élus du Rhône, et écoute la dernière intervention télévisée du Général. De Gaulle réclame aux Français la preuve de leur confiance. Après quoi, il leur annonce qu'il s'en ira à la fin de son mandat : « Une fois venu le terme régulier, sans déchirement et sans bouleversement, tournant la dernière page du chapitre que, voici quelque trente ans, j'ai ouvert dans notre Histoire, je transmettrai ma charge officielle à celui que vous aurez élu pour l'assumer après moi. » La tristesse et le doute étreignent la nuit de printemps.

Le 27 avril 1969, 12 millions de Français répondent « non » au général de Gaulle tandis qu'un peu moins de 11 millions disent « oui ». Dès le lendemain matin, le communiqué de l'Élysée tombe, glacé :

« Je cesse d'exercer mes fonctions de président de la République. Cette décision prend effet aujourd'hui à midi. »

Le Général s'en va par la grille du Coq.

Pour Georges Pompidou, tout commence. L'ombre de Racine n'est pas loin :

« *Mais il ne s'agit plus de vivre : il faut régner !* » (acte IV, scène 5, *Bérénice)*

ÉPILOGUE

« A un certain plan, rien ne compte que l'essentiel, c'est-à-dire ce que l'on a fait et ce qu'on a conscience d'être. »

(Lettre de Charles de Gaulle à Georges Pompidou)

I

L'élection présidentielle

Le 28 avril, Pompidou écrit à de Gaulle :

« Vous-même, je le crains, ne mesurez pas la tristesse qui m'étreint. Quelle qu'ait pu être ma conviction que les événements me conduiraient à poser un jour ma candidature à la présidence de la République — et vous me l'aviez confirmé en juillet dernier —, je n'imaginais ni que l'heure viendrait si tôt ni surtout dans de telles conditions.

« Que puis-je vous dire, mon Général, qui m'avez tout appris, sinon que votre image ne cessera de grandir, que rien, et surtout pas l'ingratitude, ne peut lui nuire, et que celui qui sera peut-être appelé à vous succéder officiellement ne pourra qu'essayer de n'être pas trop indigne ? »

Le jeu est renversé. De Gaulle, c'est déjà hier, Pompidou, c'est déjà demain — sauf improbable déconvenue électorale. L'aventure entre les deux hommes, commencée voilà un quart de siècle, semble s'achever sur un passage de flambeau qui laisse aux deux protagonistes un goût d'amertume.

Il serait vain d'épiloguer... Les hommes d'exception ont-ils des successeurs ? Le souhaitent-ils ? La légende nationale y gagnerait-elle ? Autant de questions qui, par nature, restent sans réponse. De Gaulle est sorti de l'Histoire avec la même brusquerie qu'il y était entré. L'imagine-t-on « adoubant » son ancien Premier ministre ? Le geste, quelle que soit sa hauteur, aurait été considéré par ses ennemis comme une nouvelle « forfaiture » et un manque de respect pour la volonté populaire. De Gaulle s'occupant de l'avenir de la

France comme on gère un fonds de commerce ou comme on transmet des biens patrimoniaux ? Sûrement pas ! Mais au plus profond de lui-même, que pense-t-il ? Dans l'ascenseur qui le ramène au premier étage du palais, le vendredi 25 avril, après l'enregistrement de son dernier message, il demande à son aide de camp, François Flohic : « Pensez-vous que ça ira comme sortie ? » Et à son chauffeur, sur la route de Colombey : « Vite. Conduisez vite... avant que le chagrin ne nous gagne de vitesse ! »

Il quitte *la France*. Qu'importe qui la prendra ? Mérite-t-elle tant d'égards après lui en avoir marqué si peu ? La grande affaire pour de Gaulle c'est le rapport entre ces terres et ces gens qu'il aperçoit par la vitre de la voiture noire et dont, désormais, il ne guidera plus le destin. Jamais printemps n'a été plus désenchanté. « Vous verrez, dit le Général, le jour se lèvera tout de même demain ! »

☆

« Ne croyez pas, mon Général, que je ramène tout à moi, avait écrit Pompidou à de Gaulle, le 3 janvier, même si l'année 1968 m'aura laissé un goût de cendre. » La lettre qu'il reçoit en date du 30 avril, en provenance de Colombey, est un modèle du genre. « Mon cher ami, après ce que je vous ai dit maintes fois naguère et que j'ai déclaré publiquement à votre sujet, vous êtes certainement fondé à croire que j'approuve votre candidature. » Là, l'espace d'un instant, Pompidou peut craindre le pire. La phrase tombe, brève et réconfortante : « Je l'approuve en effet. »

Aussitôt après, le vieux reproche revient. La « déclaration de Rome » ne sera jamais entièrement effacée. « Sans doute, écrit le Général, eût-il mieux valu que vous ne l'ayez pas annoncée plusieurs semaines à l'avance, *ce qui a fait perdre certaines voix au "oui"*, vous en fera perdre quelques-unes à vous-même, et, surtout, pourra vous gêner un peu dans votre personnage, si vous êtes élu. » On le voit : le chef historique supporte mal la défaite trop fraîche. Il demeure convaincu qu'on l'aurait peut-être évitée, de quelques suffrages, si les choses s'étaient passées autrement. Mais est-ce si sûr ? La passation de pouvoirs, à l'heure dite, conformément à la Constitution et selon la volonté de De Gaulle, était-elle si certaine ? Et qu'aurait fait le Général s'il l'avait remporté d'extrême justesse, de raccroc en quelque sorte ?

Après avoir, délibérément, gâché l'humeur du candidat à la succession, de Gaulle reprend le cours des choses dans le droit fil : « Dans les circonstances présentes, il est archinaturel et tout à fait indiqué que vous vous présentiez. J'espère donc vivement votre succès et je pense que vous l'obtiendrez. »

De Gaulle prend tout de même ses distances et croit nécessaire de préciser : « Il va de soi qu'au cours de la "campagne", tenant compte des dimensions de tout, je ne me manifesterai d'aucune façon. En particulier, votre lettre du 28 avril et ma réponse d'aujourd'hui resteront entre nous. »

« J'étais à Colombey, se souvient le général de Boissieu. Mon beau-père m'a lu le brouillon de cette lettre que j'ai trouvée très sévère et injuste. Je lui en ai fait part et lui ai fait entendre la cassette de l'entretien de Georges Pompidou avec le journaliste depuis Rome. Le Général m'a fait alors téléphoner à Jacques Foccart pour empêcher le départ de la lettre sous cette forme. Lorsque je réussis à joindre l'Élysée, il était trop tard, le pli avait été remis. »

Quelque chose est irrémédiablement cassé, mais il serait peu sérieux de situer la brisure *entre les deux hommes*. Elle est *entre de Gaulle et les autres*. A sa sœur, souvent confidente de ses pensées cachées, il a dit, quelques jours plus tôt : « Vous voyez, Cade, un tel et encore un tel m'ont trahi dans le passé, et, aujourd'hui, c'est un tel ! »

☆

Le véritable « nœud gordien » se situe là. C'est le moment exact où, pour la première fois, entre les deux hommes, s'ouvre une crise de confiance. L'ignorer, ne pas l'aborder de front serait avoir, jusque-là, tout dit *sauf l'essentiel*.

L'importance et l'acuité de la fêlure sont accrues, semble-t-il, par un fait que seul, Philippe de Gaulle avait rendu public dans son livre sur son père et que le général de Boissieu confirme aujourd'hui. Dès la préparation de l'élection présidentielle de 1965, de Gaulle avait fait part à ses cinq plus proches, sa femme, ses deux enfants et leurs conjoints, de son intention de quitter le pouvoir pour ses quatre-vingts ans et leur avait demandé d'en garder le secret.

Le général de Boissieu pense que de Gaulle a sans doute fait la même confidence à Georges Pompidou lorsqu'il a accepté sa démission de Premier ministre et l'a, suivant son expression, placé « en réserve de la République ». A lui aussi, il aurait demandé de n'en parler à personne.

Lors de « l'affaire de Rome », Pompidou aurait donc pu avoir présente à l'esprit l'imminence du départ du Général. Le fait de la savoir et le mauvais usage que l'on avait fait de ses réponses téléphoniques auraient concouru à le suspecter d'avoir voulu la précipiter. En tout cas, désormais, entre les deux hommes les choses ne seront jamais plus *comme avant*.

☆

Georges Pompidou porte brusquement le monde sur ses épaules. Il pourrait s'écrier comme Britannicus : « *Ah ! que, sous de beaux noms, cette gloire est cruelle.* » Mais il est déjà emporté dans le maelström. Et puis, la proximité de l'onction suprême, celle du vœu populaire, est enivrante. Pompidou assure de Gaulle de sa volonté formelle de respecter et faire respecter les grandes directions marquées par son prédécesseur, notamment en politique extérieure et en défense nationale, puis il fait, par écrit, un dernier acte d'allégeance : « Je n'oublie pas, mon Général, que ma fierté depuis un quart de siècle a été d'être votre collaborateur. Puissiez-vous croire que je reste dans le même esprit. »

Pompidou organise alors sa campagne, mobilise l'équipe de La Tour-Maubourg, confie à Jacques Chirac et à Olivier Guichard le soin d'organiser le programme des réunions à travers la France. Deux lettres, parmi des milliers d'autres, sont venues lui apporter encouragement et adhésion. La première remonte aux derniers jours d'avril, *avant* la décision référendaire négative. Elle émane de Léo Hamon, gaulliste de gauche et ancien responsable de la résistance parisienne. Il lui écrit en tant qu'universitaire qui a « le devoir de la réflexion ». Il l'adjure, au nom de Jaurès, de se tenir prêt, et lui rappelle qu'il n'a pas seulement des devoirs envers de Gaulle mais « aussi envers le gaullisme », qui doit rester une constante de la vie française. Il va même jusqu'à évoquer « la tradition hindoue qui voulait que les veuves se fassent brûler sur le bûcher de leur mari. Cette pratique a été interdite et même punie. » Et il assure le Premier ministre de ses « sentiments réellement dévoués ».

La seconde arrive de la place Joffre : c'est le capitaine de vaisseau Philippe de Gaulle qui en est l'auteur. Elle est datée du 26 mai. « Mon premier soin, dit le fils du Général, est de vous assurer de mon modeste mais total soutien pour l'élection à la présidence de la République [...]. Je vous prie de bien vouloir faire l'usage qu'il vous plaira du présent témoignage [...]. Votre affectionné. »

C'est alors qu'intervient la candidature d'Alain Poher, président du Sénat, qui occupe l'Élysée, où il assure la présidence de la République par intérim. « Dès lors, écrit Georges Pompidou, chez beaucoup de gens et pour peu qu'il sache se montrer sympathique, la réaction conservatrice consistait à garder à l'Élysée son locataire, beaucoup ajoutant en eux-mêmes : "Il n'aura qu'à prendre Pompidou comme Premier ministre." »

La campagne est lancée. On placarde sur les murs des affiches opposant les deux profils : « Blanc bonnet, Bonnet blanc ».

Désabusé, le Général confie à Jean d'Escrienne : « Chacun va maintenant faire chauffer sa petite soupe, sur son petit feu, dans sa petite marmite et dans son petit coin, en s'imaginant vivre des jours tranquilles ! Eh bien soit ! Mais que cela se fasse en dehors de moi ! »

☆

Georges Pompidou est entré en campagne. Le 1er mai, Jacques Foccart, rentré de Colombey, où il a été reçu par le Général, rapporte à l'ancien Premier ministre les mots prononcés par le maître de la Boisserie : « Je n'interviendrai en aucune façon et d'aucune manière dans ce débat. Et d'ailleurs, je puis vous l'annoncer, je vais partir faire un voyage en Irlande pour ne pas être en France au moment des élections. Ceci dit, personne ne s'y trompera et tout le monde saura très bien pour qui je souhaite que l'on vote. »

Le monde politique le navre et les Français l'ont déçu. Il éprouve le besoin de respirer à une autre altitude. « Notre Dame la France » n'est pas, selon lui, à la hauteur de sa destinée. Le 5 mai, il hausse la tragi-comédie électorale à la dimension de l'Histoire en répondant à un message du comte de Paris : « Si donc, comme Vous voulez bien le prédire, Monseigneur, ce qui a été fait à mon appel et suivant mon action depuis quelque trente ans, pour rendre à notre pays, d'après les leçons millénaires de la Maison de France, sa raison d'être, son rang et sa vocation universelle, doit devenir le ferment d'un nouvel essor national, je n'aurai, depuis l'autre monde, qu'à remercier Dieu du destin qu'il m'a fixé. »

Et il s'envole, le 10, pour l'Irlande.

☆

« Toute politique implique quelque idée de l'homme », écrivait Paul Valéry. C'est cette idée que le candidat à la magistrature suprême s'efforce de développer aux quatre coins du territoire national. La cote d'Alain Poher ne cesse de se consolider et les deux hommes se retrouvent au coude à coude dans les sondages. Pompidou est conscient qu'il n'aura sans doute jamais plus qu'aujourd'hui la même chance d'aboutir. Pour de multiples raisons, il se doit de gagner. Sur le plan de la fidélité politique, et tels que les jeux sont distribués, il est, dans la conjoncture, le seul représentant de la permanence gaulliste susceptible de l'emporter. Il est également conscient de ce que sa candidature lui a apporté. Marie-France Garaud avait été bien avisée de lui dire, dans le cloaque de l'affaire Markovic : le jour où vous serez officiellement candidat, l'acharnement des calomnies sera perçu par l'opinion publique comme un complot pour vous empêcher de l'emporter. Décidément, le combat est salubre, et Pompidou savoure sa revanche. L'homme d'État, que Mai 68 a fait émerger dans la conscience collective des Français, a depuis pris goût à l'âpre plaisir d'être « le premier ».

☆

« La verte Érin ! observait Maupassant : on n'avait point trouvé d'autre épithète pour qualifier cette terre de misère éternelle, ce pays loqueteux et sordide des gueux, ce foyer de révolte sans fin. » De Gaulle y marche en pèlerine noire, la canne de promenade à la main, offert au vent. Le 30 mai, il écrit à sa sœur, Mme Alfred Caillau, à Sainte-Adresse :

« Ma chère Marie-Agnès,

« En Irlande, très grande sympathie et calme complet. J'y retrouve le souvenir de nos ancêtres Mac Cartan. Certains de leurs descendants m'écrivent avec ardeur [...]. Nous comptons rentrer à Colombey après le 18 juin et n'en pas bouger de sitôt [...]. Quant à notre pays, il est, comme c'était à prévoir, en crise de médiocrité. »

A plusieurs des membres de sa famille, le Général exprime la même pensée désabusée d'exilé provisoire, auquel manque la maison-refuge et que sa patrie désespère.

☆

Le 4 juin, au premier tour de scrutin, Pompidou est en tête. Il reçoit alors, de Mulhouse, une lettre fort encourageante du général Alain de Boissieu, gendre du Général : « Les résultats du 1er tour nous ont comblés de joie, Élisabeth [son épouse], Anne [sa fille] et moi, car Anne participe à votre campagne avec beaucoup d'intérêt ! Elle a eu beaucoup de chagrin du départ de son grand-père, et la seule manière de la consoler, le 27 août au soir, a été de lui dire que vous seriez sûrement élu à sa place. »

Grâce à cette correspondance, Pompidou est, pour la première fois, fixé de façon certaine sur la position du Général dans l'élection qui est en train de se dérouler. Le 30 mai, de Gaulle a lu à son gendre les lettres échangées par les deux hommes. Le général de Boissieu écrit : « Je me suis tout de suite aperçu qu'une certaine phrase pourrait vous faire de la peine, d'autant plus qu'à mon humble avis elle n'était pas objective. » On s'en souvient. « Je lui ai dit, poursuit le général de Boissieu, il m'a regardé... puis a poursuivi sa lecture. »

C'était trois jours après que le monde s'était effondré. Depuis, en privé, de Gaulle a précisé sa position, sans attendre les résultats du premier tour. Il a fait part à son gendre de sa conviction que, *malgré les sondages,* il continuait à croire à la victoire de son ancien Premier ministre. Il a renoué avec son argumentation de Pâques : « Si je suis battu au référendum, je m'en irai, et, dans l'émotion générale provoquée par ce départ, monsieur Pompidou n'aura jamais une aussi bonne occasion d'être élu à ma suite ; tandis que, si j'attends trop ou s'il m'arrive quelque chose dans plusieurs années, qui se souviendra des services rendus à l'État par monsieur Pompidou pendant six ans, spécialement en mai-juin 1968 ? De plus, si je tarde trop à m'en aller les gaullistes risquent de se diviser. » De Gaulle n'en demeure pas moins formel sur le silence qu'il s'est imposé. « J'ai choisi de ne pas intervenir pour ne pas avoir l'air de faire pression sur les Français. Changer maintenant n'apporterait rien de plus à monsieur Pompidou, qui, à mon avis, doit être élu. »

Qu'on ne demande pas à de Gaulle d'aller plus loin. Au cours d'un déjeuner à la Boisserie, auquel j'avais été convié par le Général et Mme de Gaulle, alors que nous préparions l'édition des *Mémoires d'espoir,* et comme le nom de Georges Pompidou était venu dans la conversation, le Général, sans intention malfaisante, mais sans la moindre gêne, dit : « Pompidou ? Il n'avait qu'à pas regarder la France par-dessus mon épaule ! » Et, sans arrière-pensée, il avait parlé d'autre chose...

☆

Nous touchons peut-être là au cœur du propos. De Gaulle... Pompidou... la confrontation n'est décidément pas ordinaire. Pourquoi ? Essentiellement parce que de Gaulle est de Gaulle et qu'il est unique en son genre. Au fond, ce

n'est pas à Pompidou qu'il s'adresse dans son admonesta-
tion, c'est à la France ; c'est à l'amante infidèle des tragédies
à l'ancienne. Comment n'a-t-elle pas, d'instinct, compris
qu'il y avait de Gaulle... et les autres ? Et que Pompidou soit
le meilleur de tous les autres n'y change rien.

Ce n'est pas un « usurpateur », comme l'a dit parfois Malraux dans ses moments de grogne, que de Gaulle dénonce,
c'est un « séducteur ». En mai 1968, il y a eu un moment
de trouble quand, au retour du Premier ministre, la situation
a basculé et que l'espoir est revenu. Sincèrement, de Gaulle
a dû souhaiter la victoire de Pompidou, mais, au tréfonds de
lui-même, il aurait été comblé si personne n'avait été élu.
On ne remplace pas de Gaulle. Un point c'est tout.

Aux peuples de décider de s'émerveiller, de s'accommoder ou de s'insurger quand apparaît « l'homme providentiel ». Mais comme le remarquait souvent le Général : « Il
est difficile à notre pays de rester longtemps sur les sommets
lorsqu'il ne se croit plus menacé ! » En ce printemps 1969,
la France n'appréhende rien de particulier.

Le 15 juin 1969 à 23 heures au soir du second tour du
scrutin présidentiel, le Général télégraphie d'Irlande à
Georges Pompidou, vainqueur : « Pour toutes raisons, nationales et personnelles, je vous adresse mes cordiales
félicitations. »

« Certains l'ont trouvé un peu court, écrit Olivier Guichard, [moi] je trouve que tout y est dit. Mais, si j'en crois
Margaret O'Leary, son hôtesse d'Irlande, le Général fit, ce
jour-là, quelque chose de beaucoup plus extraordinaire, une
chose que je ne lui avais jamais vu faire en vingt-deux ans :
"Il commanda du champagne." »

II

L'Élysée

Le Normalien est au sommet de l'État, le Soldat vit dans la solitude des arbres.

Que de choses se sont passées depuis leur première rencontre ! Qu'ils le veuillent ou qu'ils s'en défendent, les deux hommes, le premier à Paris, ceint de l'écharpe tricolore, la main posée sur la Constitution, le second, à Colombey, ne peuvent pas ne pas penser à ce que fait, ou devrait faire, « l'autre ».

A cet égard, la présidence tragiquement écourtée de Pompidou semble avoir déployé une conception originale de l'exercice du pouvoir. Rien n'est plus ingrat que la reprise d'un grand rôle lorsqu'il a été créé par un géant. S'en écarter trop c'est trahir, s'en approcher trop, c'est manquer de modestie. Pompidou vise à assurer l'équilibre « entre une force écrasante et une faiblesse mortelle ». C'est ce qu'exprime Pierre Lazareff dans une lettre en date du 22 septembre 1969 : « Vous avez fait une conférence de presse magistrale et humaine qui sera très utile. Les Français ont entendu la voix du chef qu'ils se sont donné. Cette fois tout y était : ferveur, gravité, clarté, aisance, humour et, surtout, autorité. Les problèmes apparaissent plus clairement. La vérité ne fait plus peur. Bravo et merci ! [...] Vous leur avez révélé qu'une "certaine idée de la France" peut s'accompagner, dans tous les domaines, de décisions courageuses et de méthodes nouvelles. »

Ce qui est sûr, c'est que le nouveau chef de l'État ne s'est jamais bercé d'illusions sur la nature du pouvoir. « Gouverner, écrit-il dans *Le Nœud gordien*, c'est contraindre, conduire les hommes, collectivement, dans des voies et vers des objectifs qui ne leur sont ni naturels, ni clairement perceptibles, ni conformes à leurs aspirations immédiates. Le gouvernement, c'est donc bien "la répression" au sens où l'entendait Freud. »

La présence assidue auprès du Général durant de longues années a convaincu Pompidou de l'importance du *secret* en politique. Il a souvent vu de Gaulle surprendre jusqu'à ses ministres, sans doute parce qu'il appréciait l'efficacité de la méthode, peut-être aussi parce qu'il y trouvait un certain agrément. Il n'est pas de haute responsabilité sans expérience de la douleur et du plaisir. Un jour, Pompidou avait confié à Alain Peyrefitte : « Encore, comme Premier ministre, peut-on avoir une vie privée, continuer à habiter quai de Béthune. Mais, être président, c'est être responsable de tout, c'est, aussi, être le recours. C'est s'engager complètement. C'est s'installer dans cette caserne qu'est l'Élysée : c'est accablant ! »

☆

A la Boisserie, de Gaulle a décidé d'écrire ses Mémoires, mais il entend publier auparavant une édition complète de ses *Discours et Messages*. Il est furieusement agacé par les versions qu'on en divulgue sans son consentement : ce sont, à ses yeux, autant d'inconvenances et de captations d'écriture privée. Que Paderewski ait exercé les prérogatives de président de la République de Pologne n'autorise pas à interpréter ses œuvres de son vivant comme si elles étaient dans le domaine public.

Il me reçoit en cet hiver de givre 1969. Nous nous trouvons dans la D.S. noire du Général, Pierre-Louis Blanc et moi, conduits par le chauffeur du Général. La campagne plate craque sous le gel. Quelque temps plus tôt, le 9 octobre, j'avais reçu, téléphoniquement, dans un restaurant où je dînais, l'appel de Pierre-Louis Blanc, de retour à Colombey : il me transmettait un message du Général. J'ai griffonné très exactement ces phrases : « Dire à M. Jullian que j'ai reçu sa lettre, que je suis d'accord avec ce qu'il propose quant à la présentation de mes discours, que la question est de trouver un "présentateur" satisfaisant, que je suis prêt à signer un contrat. » C'était le but de notre visite.

On échange les signatures. Le Général insiste pour qu'on date de Colombey alors que l'imprimé porte Paris, et c'est François Goguel qui est pressenti pour les textes de présentation et de liaison. Après le déjeuner, nous repartons. Quand nous pénétrons dans Paris enténébré, j'ai un peu l'impression, en passant sur les grands boulevards illuminés, où va et vient, pressée et frileuse, une foule indifférente, de revenir clandestinement de Sainte-Hélène.

Georges Pompidou fait contre trop bonne fortune bon cœur. Il s'applique toutefois à pratiquer toutes les vertus propres à l'homme d'État que de Gaulle a illustrées avec tant d'éclat, et à en ajouter quelques autres auxquelles il tient. Ainsi, il ne se satisfait pas des excès machiavéliques dont le pouvoir aurait, selon certains, le privilège. « Le cynisme, dit-il, il en faut parfois, mais franchement, ce n'est pas souhaitable. » Il remet à la mode le bon sens. Où l'on retrouve sa réponse au questionnaire de Proust. « Quels sont vos boissons et vos plats favoris ? » « Le bordeaux, le foie gras et la soupe aux choux. » Il cite Pascal en opposant au

bon sens « l'imagination maîtresse d'erreur et de fausseté »,
et se déclare convaincu que « l'Histoire est là, qui nous dit
que l'idéal n'a jamais pu être atteint et que sa recherche
frénétique a précipité les nations qui s'y sont livrées dans
les abîmes ».

A son tour, Pompidou entend préserver la prééminence du
président de la République sur tout autre pouvoir, ainsi qu'il
l'avait proclamé lorsqu'il était Premier ministre, donc sous
la tutelle de l'Élysée. Cette réforme, selon lui, fait partie de
« ce que de Gaulle a apporté de meilleur à la France ». Il
s'irrite donc un peu des propos des proches de Jacques Chaban-Delmas, alors à Matignon, qui font volontiers état d'un
infléchissement des principes de la Ve République. On
s'acheminerait, disent-ils, vers un « régime de croisière »
dans lequel le président abandonnerait progressivement la
direction de l'exécutif pour n'être plus qu'un « arbitre ».
Pompidou veille sur les remparts de la Constitution. Il contribue ainsi, de façon décisive, à enraciner le régime voulu par
le Général et à stabiliser, du même coup, la vie politique
française.

☆

De Gaulle se consacre à l'édition de ses *Discours et Messages* et à la rédaction de ses Mémoires. Il dit souvent : « Si
Dieu m'en donne le temps et la force. » A Michel Debré, il
écrit : « Je me souhaite à moi-même de pouvoir mener à bien
le grand travail que j'ai entrepris. »

Mais il s'est remis aussi à prendre des notes dans ses
carnets. Tout chantier littéraire en ouvre un autre. Sans doute
tracassé par l'âge, il note :

« A 89 ans, Sophocle écrit *Œdipe à Colone*

« A 80 ans, Goethe écrit son *Grand Faust*

« A 97 ans, Titien peint *La Descente de Croix*

« A 85 ans, Verdi compose son grandiose *Te Deum*

« Monet, Kant, Voltaire, Chateaubriand, Hugo, Tolstoï, Shaw, Mauriac, octogénaires, poursuivent une œuvre admirable. » Et il ajoute, avec malice : « Ce sont des exemples qu'on se cite à soi-même pour se donner le change sur son âge ! »

Dans l'un de ses premiers carnets, il avait écrit, en 1916 : « Fouquier-Tinville proposait de saigner les condamnés avant de les conduire à l'échafaud pour leur enlever leur courage. » Et de citer un poème qu'il avait écrit à dix-huit ans sous le nom de « Charles de Lugale » :

Quand je devrai mourir, je voudrais que ce soit
Sur un champ de bataille alors qu'on porte en soi
L'âme encore tout enveloppée
Du tumulte enivrant que souffle le combat
Et du mâle frisson que donne à qui se bat
Le choc rude et clair de l'épée.

☆

Les premiers temps du septennat de Pompidou donnent le sentiment aux observateurs qu'il dispose d'une assez bonne marge de manœuvre. Le président ne s'est pas opposé à ce que Jacques Chaban-Delmas s'entoure d'une équipe très étoffée au sein de laquelle apparaissent des hommes proches de l'opposition, comme Simon Nora et Jacques Delors.

La « nouvelle société » chère au Premier ministre n'est encore qu'un projet qui, comme l'écrit André Mathiot, « protège contre le reproche de conservatisme et qui pourrait réussir. Pourquoi s'y opposer dès l'abord ? » Le 25 juin 1969, Pompidou n'a-t-il pas insisté, devant l'Assemblée, sur la nécessité de « rénover la France et de l'éclairer de lumières nouvelles » ? Mais il semble, au fil des mois, que le doute s'installe. « La grande ambition sociale » du Premier

ministre apparaît au président à la fois trop vague dans ses
moyens et trop théorique dans son exposé. La crise prend
naissance lorsque, le 16 septembre, Jacques Chaban-Delmas,
sans, dit-on, avoir communiqué le texte de son discours à
l'Élysée, trace devant l'Assemblée les grands axes de la
société française de l'avenir. La Constitution de 1958 a, une
fois pour toutes, placé le chef de l'État à la source de toute
décision politique majeure. Comment reprocher à Pompidou
de se montrer plus « gaulliste » que le plus en vue des
« barons » du gaullisme ?

Les conséquences ne tardent pas à se traduire dans les
faits. Triomphalement réélu à Bordeaux, Chaban, plus duc
d'Aquitaine que jamais, doit faire face à la fronde d'autres
grands noms du gaullisme, tels Jacques Vendroux et Christian Fouchet, qui démissionnent, avec fracas, du mouvement.
Haut et fort, les députés de la majorité se plaignent du
manque de concertation entre le gouvernement et la majorité.
En face, l'union de la gauche se concrétise. Comme l'observe Alain Peyrefitte, « Pompidou prend conscience du danger que la dynamique unitaire de la gauche, s'ajoutant à
l'usure du pouvoir après quinze ans d'exercice, risque de
tout emporter aux élections de 1973 ». Mais en dépit des
vives critiques qui s'élèvent de l'ensemble de la majorité,
U.D.R. et giscardiens confondus, le président souhaite
conserver son Premier ministre : au-delà de leurs différences
de caractère et de destin, trop de souvenirs les unissent
depuis la Libération, et Pompidou demande à diverses
reprises à quelques représentants de la majorité de laisser le
Premier ministre gouverner en paix. N'a-t-il pas écrit dans
Le Nœud gordien : « Les futurs présidents de la République
seront conduits à choisir comme Premiers ministres des
hommes qui leur soient étroitement liés sur le plan non seulement politique, mais intellectuel et personnel » ?

☆

Le Nœud gordien ! Je comprends mieux, me semble-t-il, à présent que le temps a passé, pourquoi Georges Pompidou souhaitait à l'époque éditer à quelques centaines d'exemplaires destinés à des personnes sélectionnées ce texte auquel il donnera plus tard son titre et sa forme définitifs. La situation morale et politique de la France flottait. Sans doute n'avait-on pas mesuré, au soir de son départ, le poids de l'absence du Général. Chez Plon, on évoquait à voix basse le document Pompidou. Je l'avais lu et je continuais mes visites à Colombey. Comment ne point parler au Général de la proximité de cette publication sans trahir le secret réclamé ? Comment ne pas donner le sentiment à mon hôte, lorsque le texte sortirait sous le manteau, de l'avoir trahi en ne le lui disant pas ? Je me suis borné, sur la pointe des pieds et avec un grand luxe de réserves, à évoquer l'éventualité, un jour ou l'autre, de voir Georges Pompidou publier un livre sur Mai 68 ou la crise de civilisation, exercice dans lequel le président normalien serait sans nul doute fort à l'aise. Le Général avait haussé les épaules et bougonné : « Je m'en tape comme d'une pomme ! » C'était l'une de ses façons, bourrues, populaires et militaires, de rejeter tout ce qui ne concernait pas directement le grand œuvre auquel il s'était attelé. Je n'y ai pas perçu la moindre trace de rancœur ou d'inimitié. Simplement, dans l'exil intérieur, le Général veillait toujours à maintenir les distances. Ce mot, *atteler,* il l'avait employé un jour que je lui parlais de Bernanos — qui me semblait plus proche de lui, par ses livres, que Malraux. Il m'avait répliqué : « Ah ! Celui-là, je n'ai pas réussi *à l'atteler* ! » De Gaulle vivait seul, en lui-même, tout occupé par l'écriture — une arme, comme l'épée — à imprimer sa trace d'éternité sur l'avenir français. Tout le reste, il le voulait sans importance.

Les cinq tomes des *Discours et Messages* paraissent au rythme prévu. Le premier tome des *Mémoires d'espoir* connaît un succès de librairie sans précédent : plus d'un million d'exemplaires presque immédiatement vendus. Le matin de l'événement, le général de Gaulle me fait porter par Pierre-Louis Blanc sa photographie dédicacée : « Pour Marcel Jullian, en cordial et confiant témoignage », suivi de la date : 7 octobre 1970, le chiffre 7 étant souligné de deux traits. L'émissaire m'explique dans un sourire : « Le Général l'a signé hier, il a antidaté exprès pour vous montrer qu'il serait avec vous aujourd'hui. C'est la première fois qu'il le fait. » Et il ajoute : « Il avait l'air heureux. Il m'a dit : "Ça va faire boum boum !" »

L'action, l'action et le verbe ! L'ermite de la Boisserie respire à nouveau à son altitude naturelle. Il marche, vigoureux, alourdi et déterminé, vers le futur qui le regrettera. Sa tête bourdonne de projets. Il confie au colonel d'Escrienne : « A la fin du second volume, je pense écrire un chapitre dans lequel je me mettrai en scène au côté de quelques grands personnages de l'Histoire de France, de Clovis à Napoléon, en passant par Saint Louis, Louis XIV, Danton, et à chacun je dirai : "Vous, à telle époque, en telle circonstance, vous avez fait telle chose pour la France... moi, en mon temps, j'ai fait cela en cette circonstance... Qu'en pensez-vous ? Qu'auriez-vous fait à ma place ?" » Et comme son aide de camp lui parle de Georges Pompidou, de sa sincérité et de l'éventualité d'une rencontre « ici à Colombey ou ailleurs », de Gaulle réplique : « Oui, je vous crois, et je vous remercie de me le dire. Si jamais on vous pose la question, vous pourrez répondre que le Général et Georges Pompidou ne se rencontreront ni à Colombey, ni ailleurs ! S'il me revoit un jour, ce sera sur mon lit de mort, peut-être ! »

☆

Le 9 novembre 1970, vers 18 h 45, le Général écrit quelques mots à propos des dédicaces à faire au général Casso, au docteur Guillaumat et à un ostréiculteur de Cancale, fidèle de longue date. Il ajoute : « Manuscrit ? » Puis : « Suite des ministres de l'Éducation nationale depuis 1958 jusqu'à Fouchet. Combien de temps est resté celui-ci ? » Ce sont les derniers mots écrits de sa main : il meurt.

Le jour des obsèques, les alentours du village sont transformés en un vaste parking. Pour atteindre la place de l'église, il faut abandonner la voiture, marcher à travers champs, enjamber les barbelés, convaincre un service d'ordre sourcilleux, et puis piétiner longtemps, dans la foule muette, sur le chemin du cimetière gris. Dans le ciel bleu et rose, la pleine lune est encore visible. Au-dessus des petites maisons de la place et de la dentelle des arbres à contre-jour, on voit un soleil tout rond, aveuglant et rouge. La tombe est plus claire que le soir. La dalle, fraîchement placée, est encore maintenue par des cales de bois.

☆

« La France est veuve », déclare Georges Pompidou.

Le Soldat et le Normalien ne se seront donc pas revus. Seule la politique, et parfois la littérature et les arts, crée de telles distances. Elles se seraient sans doute atténuées si la mort n'était venue si vite. Le froid définitif est tombé, et Georges Pompidou est sûrement plus orphelin que beaucoup d'autres. Mais la France ne vit pas seulement de grands souvenirs. Le jeu des institutions, la passion des hommes reprennent vite leurs droits.

A Paris, Jacques Chaban-Delmas pose la question de confiance à l'Assemblée. Il semble que l'on ne s'accommode pas à vivre sans drame. Michel Jobert, qui occupait alors, auprès de Pompidou, les fonctions de secrétaire général de la Présidence, a bien résumé la complexité de la situation : sentant que le chef de l'État ne pourrait pas, longtemps encore, lier son sort à celui d'un Premier ministre dans la tourmente parlementaire, Chaban entendait démontrer qu'au-delà des cabales, des intrigues et des calomnies il avait la confiance de l'Assemblée. Georges Pompidou laisse le gouvernement, « s'il le juge utile », engager sa responsabilité par un vote de confiance. Pour qui le connaît bien, c'est une mise en garde très claire, une invitation à ne pas courir le risque. Un très proche et très influent collaborateur du président rédige une note à son intention dans laquelle il met en garde contre la dérive : « Cette manœuvre politique fait donc du Premier ministre le véritable maître du jeu [...] elle ouvre une brèche dans nos institutions [...]. Dès le premier jour, la nouvelle Assemblée saura que la désignation du Premier ministre procède plus de son vote que de la nomination par le chef de l'État. Ainsi, par étapes, mais inexorablement, nous reviendrons au régime de l'Assemblée. »

Maintenant que la tragédie algérienne a pris fin et que la grande ombre a écrit « les grandes choses que nous avons faites ensemble », les passions, les convictions, les appétits et les espérances mêlés font lever la pâte non plus populaire mais parlementaire. L'essentiel a changé de registre.

☆

Le 9 mars 1971, à 17 heures, l'huissier m'ouvre la porte du cabinet du président. Georges Pompidou, debout, s'écarte un peu de son bureau. Il rentre d'Afrique et il est bronzé. Je me permets de l'en féliciter. Il me répond par cette petite phrase dont je ne mesure pas, sur le moment, la portée : « Ça ne signifie pas qu'on soit solide à l'intérieur. »

Je réponds que je l'espère, d'abord pour lui, ensuite pour l'État, et enfin pour la France, puis je passe à l'un des objets de ma visite : le deuxième tome, inachevé, des *Mémoires d'espoir*, qu'en dépit d'instructions précises du Général nous pensons devoir publier, tant par fidélité à sa mémoire que pour ses lecteurs. Je précise que nous n'avons pas retenu les pages du début du troisième chapitre, puisqu'elles n'avaient pas, comme celles des deux autres, été corrigées par de Gaulle sur le texte dactylographié. Le président évoque alors les pages du Général dont il a eu connaissance, parle de son écriture haute et penchée, de ses nombreuses corrections, et m'approuve de ne pas faire figurer le début du troisième chapitre : « Tant que ça n'a pas été relu et annoté on ne peut être tout à fait sûr d'être en présence du dernier état d'une pensée. » La conversation vient alors sur l'abondance des ouvrages qui sont consacrés au Général. « A la vérité, observe Pompidou, ce sont des gens qui veulent parler d'eux, mais comme ça n'intéresserait personne, ils prennent le Général pour prétexte ! » Et il conclut dans un soupir : « Quand est-ce que le fait de publier des livres sur Charles de Gaulle sera, enfin, une très mauvaise affaire commerciale ? »

Nous parlons ensuite de la candidature de Julien Green à l'Académie. Le président me dit avoir songé à conférer à quatre ou cinq personnalités exceptionnelles — comme Green ou Picasso — une citoyenneté française d'honneur. En tout cas, pour l'élection de Green, il m'autorise à dire à Maurice Genevoix, secrétaire perpétuel, qu'en tant que protecteur de l'Académie il y souscrit. Nous abordons encore quelques autres sujets dont la francophonie, et, avant de partir, j'évoque le texte qui deviendra plus tard *Le Nœud gordien* et qui, tiré à quelques exemplaires, aurait, paraît-il, connu une fuite. Je demande au président s'il en sait à présent la source. « Je n'ai pas cherché à le savoir », me répond-il. J'insiste : « Puis-je vous demander pourquoi ? » La réponse est immédiate, un peu triste et désabusée : « Parce que ça ne m'aurait pas fait plaisir. »

☆

Le 24 mars 1972, par 368 voix contre 96, Jacques Chaban-Delmas obtient de l'Assemblée une confiance massive. N'importe : le 5 juillet suivant, Georges Pompidou reçoit, ainsi qu'il l'a prévu et demandé, la démission de son Premier ministre. La V⁰ République commande. L'heure de Pierre Messmer a sonné. Engagé dans le combat des Forces françaises libres, vétéran de la bataille de Bir Hakeim, ministre des Armées du général de Gaulle pendant plus de dix ans, Pierre Messmer allie à son patriotisme naturel la compétence de l'administrateur et le sens du commandement de l'officier. Mais, il ne faut pas s'y tromper, derrière le « profil romain » du nouveau Premier ministre se cache un esprit fin qui lui donne l'étoffe d'un véritable chef de gouvernement.

La dernière lettre connue que de Gaulle a adressée à Pierre Messmer date du 26 décembre 1969. Un échange de vœux que le Général conclut par cette phrase tout à fait explicite : « Quant à l'avenir dont vous parlez, sachez — ceci n'étant que pour vous — que j'ai en vous une confiance particulière. »

Pierre Messmer est l'homme qui, après les sanglants événements d'Afrique du Nord, a, sous l'autorité de De Gaulle, repris en mains une armée traumatisée par l'abandon de l'Algérie et intoxiquée par le virus de la politique. En mai 1968, c'est encore lui qui, avec l'aide de Georges Pompidou, a convaincu le Général de renoncer à utiliser l'armée dans les opérations de maintien de l'ordre.

Ne recherchant rien pour lui-même, tout entier dévoué au nouveau président dont il reconnaît — dans l'esprit de la V⁰

République — la primauté, Messmer se donne pour mission de gouverner en évitant au chef de l'État le souci des affaires quotidiennes. Sa nomination à Matignon doit donc permettre à Georges Pompidou de donner un nouveau départ à son septennat, de s'abstraire de la politique intérieure immédiate et de se pencher sur les grands dossiers de l'heure.

C'est s'inscrire dans la filiation gaullienne la plus stricte. S'il est incontestable que le fameux « domaine réservé » du président ne connaît aucune barrière organique, il n'en reste pas moins que la politique étrangère et la défense — c'est-à-dire tout ce qui concerne la souveraineté française — en constituent l'essentiel.

La politique étrangère de Georges Pompidou s'inspire directement de celle du général de Gaulle. Comme celle-ci, elle prend d'abord appui sur la dure réalité des rapports de forces internationaux, mais elle s'inscrit aussi dans la perspective d'une recherche d'un nouvel équilibre mondial qui récuse l'hégémonie des blocs et qui s'articule autour du concept d'indépendance nationale. Au Kremlin, devant les dirigeants soviétiques, Georges Pompidou le dit avec détermination :

« Je prends le monde tel qu'il est [...]. La carte de l'Europe a été bouleversée [...]. Et la tentation est facile d'opposer, blocs à blocs, l'Ouest et l'Est [...] s'ignorant mutuellement sinon pour se figer dans l'équilibre de la terreur [...]. C'est pourquoi la France, pour sa part, a déclaré qu'elle rejetait cette conception [...]. Mon pays, tout en ayant conscience d'être un pays occidental, et entendant, sans restriction, le demeurer, a pris l'initiative de rechercher d'autres solutions et de créer d'autres rapports. »

Pompidou, qui s'était rendu en visite officielle en U.R.S.S. du 6 au 13 octobre 1970, alors que sortait le premier tome des Mémoires de De Gaulle[1], fera ensuite de nombreuses visites en Russie et recevra Leonid Brejnev. Maurice Schumann, alors ministre des Affaires étrangères, témoigne : « J'ai retrouvé cette phrase toute simple : "accord sur le point suivant : à la conférence d'Helsinki, chaque pays sera représenté individuellement ; alors, peu à peu, peut-être, les pays de l'Est feront-ils apparaître leur identité". »

Quant à la nature des relations que la France et l'Europe entière doivent entretenir avec les États-Unis, Georges Pompidou dit clairement : « Si les États-Unis demandent à l'Europe de pratiquer une politique d'information et de consultation, il est évident que la France, comme ses partenaires, y est favorable... Par contre, si ce qui est recherché, c'est un accord préalable auquel la Communauté sera amenée à soumettre son devenir interne et la construction progressive de son identité, dans ce cas, il y aura désaccord de la France. »

L'« homme » n'a pas changé sous le président. Pour certains, le pouvoir ressemble à la grêle sur un champ : quand il tombe sur quelqu'un, il ruine sa culture. Le Georges Pompidou des années soixante-dix continue à vivre sa vie de famille et ses amitiés. Avec Alain Robbe-Grillet, Aragon, Béjart ou Agam et tant d'autres, il se montre attentif à la création, au monde des arts et des lettres. Le 14 janvier 1971, Robbe-Grillet lui fait observer : « Bien sûr, la mort, c'est toujours la fin du jour (et souvent déjà, aussi, la maladie ou la vieillesse). Est-ce une raison pour ne pas jouer en atten-

---

1. J'avais pris soin de lui en faire parvenir un exemplaire le 6 afin qu'il ne débarque pas à Moscou, précédé par une dépêche de l'Agence Tass annonçant la parution surprise...

dant ? Car, autrement, cette perspective de la mort empê-
cherait *tout* de la même façon : l'amour, la poésie ou n'importe quelle autre activité de l'esprit comme du corps. » Ce
qui le conduit à développer son argumentation à propos de
la cité : « Petit problème donc, annexe mais immédiat, qui
se pose aux responsables : réintroduire le jeu dans la cité.
Ce territoire des Halles, si controversé, ne devrait-il pas, précisément, devenir au cœur de la ville un "espace ludique",
comme on dit aujourd'hui, c'est-à-dire ouvert et changeant,
où des divertissements populaires se mêleraient à des activités créatrices plus "intellectuelles" ? Les pavillons Baltard
s'y prêtent. La proximité de votre centre Beaubourg donnerait son unité à l'ensemble... »

La lettre d'Aragon, répondant aux condoléances du président à la mort d'Elsa, se termine de façon superbe : « Vous
êtes le président de la République, c'est-à-dire que tout ce
qu'on peut vous écrire est faussé par là même, mais pourtant
entendez comme je le dis, comme je le pense, les plus
simples mots : Respectueusement, merci. »

A Maurice Béjart, Pompidou écrit : « Je regrette vivement
que notre projet n'ait pu aboutir et souhaite qu'il puisse être
repris en France. Non par chauvinisme, vous savez que je
n'hésite pas à faire appel à des étrangers, mais parce que,
dans le domaine de la danse, qui est le vôtre, nous avons
besoin de vous. » Il appuie de son autorité le projet de nomination de Rolf Liebermann, directeur de l'Opéra de Ham-
bourg, à la tête de l'Opéra de Paris, et fait revenir Pierre
Boulez des États-Unis. Et le président n'oublie pas, par
exemple, les années de professorat à Marseille. Pour preuve,
ce petit mot, rapide, du 10 mars 1972 à Louis Noell, avocat,
qui fréquentait le lycée Saint-Charles et avec qui il correspond régulièrement. « Mon cher Noell [...] Je suis heureux
de vous informer que j'ai décidé de vous promouvoir au

grade d'officier de la Légion d'honneur à l'occasion de la prochaine promotion de Pâques. »

☆

Mais la maladie a fait son entrée dans la partie. « Elle a cruellement frappé à sa porte », écrit Jacques Chirac. Très vite et très impatiemment. Dès 1970, Georges Pompidou a été alerté. La rumeur amplifiait la moindre de ses pâleurs, se faisait l'« écho curieux du plus modique contretemps. Le président a voulu savoir. Il a consulté. On ne lui a pas caché qu'il était atteint d'une affection mortelle mais dont — pensait-on — l'issue ne devait pas intervenir durant son septennat. Il s'est enquis de savoir si le mal n'altérerait pas, entretemps, ses facultés intellectuelles et morales. On l'a assuré qu'il n'en serait rien. Alors il a décidé d'assumer son calvaire seul. »

Il s'agit de la maladie de Waldenström, qui touche une personne sur 250 000. Par une malice du sort, elle a frappé, en dix ans, quatre chefs d'État : le Shah d'Iran, le président Boumediene, Golda Meir et Georges Pompidou.

Le président se consacre au travail, cherche à faire tout ce que Dieu lui laisse le temps d'accomplir. Sa maladie le pousse non vers le retrait, l'effacement, mais vers un raidissement des positions françaises et vers un retour aux sources du gaullisme que lui inspire l'activisme de Kissinger, toujours aussi pressant pour obtenir une définition des relations avec la Communauté européenne toujours plus favorable aux intérêts américains. Il dit : « La France ne doit pas être un de ces rois vassaux siégeant autour de l'empereur de Rome ! »

☆

En 1969, Georges Pompidou a confirmé Jacques Foccart dans ses fonctions de secrétaire général aux Affaires africaines et malgaches. C'est pour maintenir, du même coup, l'orientation de la politique que le général de Gaulle a menée outre-mer depuis l'indépendance. « Il serait vain de croire, déclare le président à Dakar, que la paix mondiale peut s'accommoder de l'injustice du sous-développement. Il faudra bien qu'un jour prochain les nations les plus riches admettent que la dure loi du marché où elles pèsent d'un poids trop lourd soit corrigée pour qu'enfin la production des pays en voie de développement reçoive sa juste rémunération. »

Pompidou a mesuré l'importance de la construction européenne : « Petite presqu'île menacée, et dans laquelle il y a pourtant plus de cent millions d'habitants, ceux de tous les pays qui ont fait l'histoire de l'humanité. Il y a là un réservoir de capacité qui est unique au monde, il y a là une puissance économique supérieure à celle de l'Amérique du Nord. Alors, de deux choses l'une : ou bien nous renonçons à être quelque chose face à ces immenses puissances, ou bien nous essayons de regrouper les nations de l'Europe occidentale, et de mettre ensemble tout ce qu'elles recèlent de virtualités et de possibilités. »

Reste l'Angleterre. Georges Pompidou, dans sa conférence de presse du 16 mars 1972, souhaite la voir entrer dans la Communauté européenne : « S'unir à un peuple qui a, peut-être plus que tout autre au monde, le souci de garder son identité nationale, déclare-t-il, c'est aussi faire le choix pour l'Europe d'une formule qui préservera la personnalité des nations qui la composent. »

La défense, l'un des dossiers majeurs du Général, requiert un soin particulier. Georges Pompidou est convaincu de la nécessité de disposer d'une force de frappe suffisamment puissante pour accéder au cercle fermé des Grands, de telle sorte que la France ne soit exclue d'aucune des orientations majeures du monde, tout en maintenant ses ennemis potentiels dans la plus grande incertitude. Les efforts engagés depuis les années soixante portent leurs fruits avec le lancement des sous-marins nucléaires *Redoutable* et *Terrible*. « Vous êtes des militaires avant d'être des techniciens, avant d'être des hommes de science, rappelle le président à Toulon, devant l'escadre de la Méditerranée, vous devez, d'abord et avant tout, être des marins, et des hommes de caractère au service de la patrie. »

☆

« Ceux qui ont travaillé avec Georges Pompidou durant cette période, écrit Jacques Chirac, n'ont pas eu le sentiment de se trouver en compagnie d'un homme confronté avec la mort. Nous sentions qu'il luttait contre une maladie sérieuse, dont les conséquences étaient pour lui très pénibles, mais dans l'exercice de ses fonctions rien ne transpirait. »

Georges Pompidou, rongé par le mal qui le mine, veille sur la politique étrangère dont Michel Jobert a été chargé. Le président sait que ce qui donne à cette politique une sensation d'abstraction, c'est le sentiment que celle-ci n'entretient que de très lointains rapports avec le monde réel ; mais il s'est pénétré de l'existence d'une relation très concrète entre l'action diplomatique et les préoccupations intérieures.

Il est convaincu également, par sa connaissance du monde de la finance, que l'évolution qui a conduit le dollar à être la seule monnaie universelle de réserve pèse de façon inadmissible sur l'équilibre mondial. La querelle monétaire entre Paris et Washington marque la politique étrangère de la France depuis les années soixante, comme l'écrit Jean-René Bernard, qui fut le conseiller du chef de l'État pour ces questions. Georges Pompidou « pensait que le système monétaire, tel qu'il était appliqué sur le plan mondial, était profondément malsain et entraînerait, à plus ou moins longue échéance, une inflation généralisée. » D'autant que, le 15 août 1971, le président Nixon avait mis fin à la convertibilité du dollar, poussant ainsi à son comble le désordre monétaire mondial. Georges Pompidou l'avait rencontré aux Açores, en décembre de la même année. « Le président, observe J.-R. Bernard, s'était envolé à bord du Concorde pour rejoindre, à mi-chemin des États-Unis, quelque part dans l'Atlantique, le président de la plus grande puissance économique et militaire du monde, qui le reconnaissait comme un interlocuteur privilégié. »

C'est une constante. Il ne s'agit d'ailleurs pas d'y voir un mérite particulier : Georges Pompidou marche sur les traces, profondément marquées, de son illustre prédécesseur.

Certains esprits ont cru voir dans la dévaluation du franc du 8 août 1969 le signe d'un abandon de l'un des aspects essentiels de l'orthodoxie gaullienne en matière économique. L'année précédant son départ, à l'automne 1968, le Général avait lui-même longtemps hésité à dévaluer : la mesure avait été annoncée puis révoquée. Il s'y était finalement opposé beaucoup plus pour des motifs d'opportunité que pour une raison de principe.

Pompidou a tranché le débat qui oppose les partisans d'une croissance forte mais raisonnable et les partisans d'une croissance sauvage. Il a opté pour les premiers. Un « taux à la française » de 7,5 % — selon l'expression de Bernard Ésambert — est donc retenu pour la croissance industrielle, et l'« ardente obligation » de planification, dont parlait le Général, est solidement confirmée.

☆

Indéniablement, l'après-de Gaulle est marqué par la marche du pays vers l'industrialisation et l'urbanisation, la naissance de nouveaux rapports sociaux, et par l'émergence d'une contre-culture issue de Mai 68, longtemps contenue, abusivement agressive, qui participe à l'entrée de la France dans l'ère de la « modernité ». Cela ne peut aller sans heurts et déséquilibres passagers. La société française se cherche alors un avenir à mi-chemin du rêve américain et de la nostalgie des temps anciens. Les institutions et les points d'ancrage traditionnels, sous la poussée de ces aspirations, sont conduits à flotter au gré de leur remise en cause et de leurs incertitudes internes.

Georges Pompidou, intellectuel immergé dans l'action, en est bien conscient : « Comment résoudre cette contradiction de l'homme lancé à corps perdu dans le progrès de la connaissance et paraissant se révolter en lui-même contre les conséquences inéluctables de ce progrès ? La question, à mon sens, n'est ni économique, ni politique, ni sociale, elle est morale et métaphysique. C'est dire que je n'ai pas la prétention d'y apporter une solution. Mais je crois, profondément, que nous devons chercher à réconcilier les créations de l'intelligence avec les obscures et immuables exigences de l'instinct. »

☆

Quand le successeur du général de Gaulle évoque l'idée qu'il se fait du progrès, il accorde toute sa place à la société rurale : « Le côté paysan est peut-être le côté de l'avenir, déclare-t-il, et cela par beaucoup d'aspects. Dans cinquante ans la fortune consistera à pouvoir s'offrir la vie de paysan aisé du XIXᵉ siècle [...] c'est-à-dire de l'espace autour de soi, de l'air pur [...]. On y rajoute des piscines et des automobiles mais ce n'est pas une modification fondamentale : il reste le besoin d'air, de pureté, de liberté et de silence. » Mais cela n'empêche pas le président, le 21 janvier 1974, à Poitiers, lors de son dernier voyage officiel en province, de réfuter l'idée d'une Europe des régions : « Je dois dire tout de suite que l'expression de "l'Europe des régions", non seulement me hérisse, mais constitue à mes yeux... un étrange retour vers un passé révolu. Il y a déjà eu une Europe des régions : cela s'appelait la féodalité [...] il a fallu à un pays comme la France mille ans d'efforts ou presque pour créer notre unité nationale, notre existence nationale [...]. Donc, soyons régionalistes dans la mesure où nous n'écrasons pas ce qui est à l'intérieur de la région et ne nous dressons pas contre ce qui est au-dessus de la région. »

Je crois entendre le fameux manifeste félibréen :
« J'aime mon village plus que ton village
« J'aime ma province plus que ta province,
« J'aime la France par-dessus tout. »

Les mois sont trop courts pour mener à bien tout ce que Georges Pompidou s'est juré d'accomplir. On sait son attachement à l'art de son temps, « art par essence contradictoire selon sa propre formule, strict comme les mathématiques ou violemment lyrique, sincère jusqu'à l'impudeur ou insolent dans l'imposture. Explosion de couleurs et de joie ou de négation de tout, y compris de lui-même, il est toujours à l'affût du lendemain. N'est-ce pas l'image de notre monde ? » Là, sans nul doute, le Normalien s'éloigne du Soldat. Leur questionnaire de Proust, leurs choix poétiques ou artistiques ne sont pas les mêmes. Georges Pompidou, fidèle à son premier achat d'étudiant, va rendre visite à Max Ernst en Provence ; Mme Pompidou inaugure à Gordes le centre culturel Hartung, et ensemble ils témoignent de l'intérêt qu'ils portent à des compositeurs comme Xenakis ou Boulez.

L'architecture enfin. Elle transforme la cité, suscite des inconditionnels et des détracteurs. Georges Pompidou a voulu que Paris respire et s'élève. De Gaulle s'en inquiétait bien un peu. On a vu combien il voulait être tenu informé de tout, des projets pour les Halles à l'aménagement de la Défense.

☆

Un vendredi, en fin d'après-midi, Pompidou regagne Orvilliers. Il est las. Il espère, dans la chaleur de la maison familière, reprendre quelques forces. Le dimanche, il est en proie à une septicémie foudroyante. Il souffre atrocement. Une ambulance le ramène à son domicile, dans l'île Saint-Louis. Le mardi, il signe quelques papiers et approuve l'ordre du jour du Conseil des ministres que Pierre Messmer va présider à sa place le lendemain, puis, entouré par sa femme et son fils, veillé par ses médecins, il sombre, peu à peu, dans le coma.

Le 2 avril 1974, à 19 h 20, c'est fini.

Je me souviens. Ce soir-là, je dînais en face du quai de Béthune avec Étienne de Montpezat. Le cuisinier a soudain quitté ses fourneaux pour nous apporter la funeste nouvelle. Nous sommes sortis. L'île était engloutie dans le noir. Et il y avait quelques lumières aux fenêtres.

☆

« La dernière audience qu'il m'ait accordée, écrit Jacques Chirac, se situe cinq jours avant sa mort. Je souhaitais l'entretenir de mes intentions de réforme du ministère de l'Intérieur et d'un important mouvement préfectoral. Notre entretien a été, comme à l'accoutumée, normal, confiant, naturel, sans que la maladie n'affecte en rien ses propos, ses remarques et son attention.

« J'atteste solennellement que Georges Pompidou a assumé, jusqu'à la dernière minute, la direction des affaires de l'État avec une totale maîtrise de corps et d'esprit. »

☆

Le 2 avril 1974 prend fin le long dialogue que le général de Gaulle et Georges Pompidou ont noué dès leur première rencontre, et au cours duquel ils n'ont jamais cessé de s'entretenir de la France à voix haute.

L'objet de leurs vœux et de leur ferveur était la France. On le sait : elle aime à être courtisée, surprise, séduite, inquiétée, et c'est lorsqu'elle est enfin tranquille qu'elle prend peur, et, parfois, se montre rancunière. Pour les Français, le pouvoir n'est qu'un pis-aller.

Le Soldat le savait. Il était, de naissance, homme de tempête. L'orage, à ses yeux, était gaulliste. Lorsque, l'espace de quelques semaines, il n'était pas dans le ciel, de Gaulle mettait des visions d'Apocalypse dans nos souliers de Noël. C'était sa façon, très particulière, de nous marquer son attachement et de nous empêcher de nous assoupir.

Le Normalien, lui aussi, savait tout cela, mais il croyait moins à la magie. Peut-être parce qu'il était conscient de ne pas disposer des mêmes éléments que le Soldat. Il était plus près des Français que de la France, à l'inverse de De Gaulle.

Pompidou s'apprêtait sans doute à devenir l'homme d'État français du XXe siècle. Il ne pouvait être que *moderne*. Esprit de famille, ruralité profonde, traditions privées, certes, mais à condition que la liberté et l'impertinence de la pensée soient toujours sur le devant de la scène.

Le Normalien, épris de connaissance et respectueux des mythes généreux de sa jeunesse, était soucieux — par une sorte d'hygiène de l'esprit — de traiter les excès du sérieux avec la dérision nécessaire. Il ne devait pas être loin de penser que, s'il faut croire profondément à ce que l'on fait, point n'est besoin de le montrer à tout propos et surtout à tout le monde.

Georges Pompidou faisait une place à part à Baudelaire. C'est à lui que nous empruntons ces lignes : « La mort. La mort qui nous laisse rêver de bonheur et de renommée et qui ne dit ni oui ni non, sort brusquement de son embuscade, et balaye, d'un coup d'aile, nos plans, nos rêves et les archi

tectures idéales où nous abritions en pensée la gloire de nos derniers jours ! »

☆

Le ciel fasse qu'au-delà de leurs morts respectives, le Soldat et le Normalien se soient, une fois encore, rencontrés.

27 novembre 1993

« Que mon nom soit mentionné ou ne le soit pas n'est pas très important. Ce qui compte, c'est que mon mandat soit pour la France une période de sécurité, de rénovation et de dignité. »

Georges Pompidou
(juin 1969)

Sources et références bibliographiques

1. Les citations de Charles de Gaulle et de Georges Pompidou sont extraites des ouvrages suivants :

— Pour Charles de Gaulle :
Le Fil de l'épée, Berger-Levrault, 1932, Plon, 1971.
Mémoires de guerre, 3 vol., Plon, 1954, 1956, 1959 et 1989.
Mémoires d'espoir, Plon, 2 vol., 1970, 1971.
Discours et Messages, Plon, 5 vol., 1970.
Lettres, notes et carnets, 12 vol., 1980-1988.

— Pour Georges Pompidou :
« Présentation » de *Britannicus* de Racine, « Classiques France », Hachette, 1944.
Anthologie de la poésie française, Hachette, 1961.
Le Nœud gordien, Plon, 1974.
Entretiens et discours, Plon, 1975.
Pour rétablir une vérité, Flammarion, 1982.

2. L'auteur a eu recours aux archives personnelles de la famille de Georges Pompidou. Il a également bénéficié de ses entretiens avec monsieur Jacques Chirac (1978). Il a consulté par ailleurs les ouvrages suivants :
— Édouard Balladur, *L'Arbre de Mai,* Atelier Marcel Jullian, 1979.
— Alain de Boissieu, *Pour combattre avec de Gaulle,* Plon, 1982 et *Pour servir le Général,* Plon, 1982.

— Jean Charlot, *Le Gaullisme d'opposition*, Fayard, 1983.

— Pierre-Bernard Cousté et François Visine, *Pompidou et l'Europe*, Préface de Jacques Chirac, Librairies techniques, 1974.

— Michel Debré, *Mémoires*, 4 vol., 1984, 1988 et 1993, et *Lettre à des militants sur la continuité, l'ouverture et la fidélité*, Plon, 1970.

— Jean Ferniot, *De de Gaulle à Pompidou*, Plon, 1972.

— Maurice Grimaud, *En mai fais ce qu'il te plaît*, Stock, 1977.

— Olivier Guichard, *Un chemin tranquille*, Flammarion, 1975 et *Mon Général*, Grasset, 1980.

— Léo Hamon, *La Révision : la vraie fidélité*, Stock, 1974.

— Michel Jobert, *Mémoires d'avenir*, Grasset, 1974.

— François Mauriac, *Le Dernier Bloc-Notes*, Flammarion, 1971.

— Stéphane Rials, *Les Idées politiques du président Georges Pompidou*, PUF, 1977.

— Guy de Rothschild, *Contre bonne fortune*, Belfond, 1983.

— Anne et Pierre Rouanet, *Les trois derniers chagrins du général de Gaulle*, Grasset, 1979.

— Éric Roussel, *Georges Pompidou*, Lattès, 1984, nouv. éd. 1994.

— Pierre Viansson-Ponté, *Histoire de la République gaullienne*, t. 1 et 2, Fayard, 1970 et 1971.

— François Vuillemin, *Georges Pompidou et les gaullistes de gauche : conflits idéologiques et enjeux de pouvoir*, mémoire de DEA de l'IEP de Paris, 1987.

Table

Imprimé en France par la Société Nouvelle Firmin-Didot
Dépôt légal : mars 1994
N° d'édition : 8887 - N° d'impression : 25909
ISBN : 2-213-59176-8
35-57-9176/01-5